02/ACL

MW00577751

# Tierra de mujeres

**Seix Barral** Los Tres Mundos

# María Sánchez
# Tierra de mujeres
Una mirada íntima y familiar
al mundo rural

© María Sánchez, 2019
Publicado de acuerdo con Pontas Literary & Film Agency
© Editorial Planeta, S. A., 2019
Seix Barral, un sello editorial de Editorial Planeta, S. A.
Avda. Diagonal, 662-664, 08034 Barcelona (España)
www.seix-barral.es
www.planetadelibros.com

Diseño original de la colección: Josep Bagà Associats

© Imágenes del interior:
págs. 9, 131, 147, 163, Fernando Vílchez
págs. 25, 43, 83, 101, 119, 132, 164 archivo personal de la autora
pág. 63, Grado Creativo: Publicidad & Consulting

Primera edición: febrero de 2019
Segunda impresión: febrero de 2019
Tercera impresión: marzo de 2019
Cuarta impresión: abril de 2019
ISBN: 978-84-322-3468-2
Depósito legal: B. 29.806-2018
Composición: gama, sl
Impresión y encuadernación: Huertas Industrias Gráficas, S. L.
*Printed in Spain* - Impreso en España

El editor hace constar que se han realizado todos los esfuerzos para localizar y recabar la autorización del propietario del copyright de la imagen que ilustra esta obra, manifiesta la reserva de derechos de la misma y expresa su disposición a rectificar cualquier error u omisión en futuras ediciones.

El papel utilizado para la impresión de este libro es cien por cien libre de cloro y está calificado como **papel ecológico**.

No se permite la reproducción total o parcial de este libro, ni su incorporación a un sistema informático, ni su transmisión en cualquier forma o por cualquier medio, sea éste electrónico, mecánico, por fotocopia, por grabación u otros métodos, sin el permiso previo y por escrito del editor. La infracción de los derechos mencionados puede ser constitutiva de delito contra la propiedad intelectual (Art. 270 y siguientes del Código Penal).
Diríjase a CEDRO (Centro Español de Derechos Reprográficos) si necesita fotocopiar o escanear algún fragmento de esta obra. Puede contactar con CEDRO a través de la web www.conlicencia.com o por teléfono en el 91 702 19 70 / 93 272 04 47.

*A mi familia*

*A aquellas y aquellos*
*que trabajaron y cuidaron la tierra*
*y nunca fueron reconocidos*

*Para ellos escribo*

# INTRODUCCIÓN
# UNA NARRATIVA INVISIBLE

¿Será que los objetos heredados pueden ser
los contornos de las confidencias incompletas?

Maria Gabriela Llansol

Las casas de nuestros abuelos están llenas de retratos. Nos observan desde el cristal y parece que de
un momento a otro podrían arrancarse a hablar. Algunas veces pienso que callan demasiado. Otras, que
nos recriminan con la mirada. Me gusta pararme a
pensar en cómo se hicieron esas fotografías y por
qué, quién eligió la escena, el marco y el lugar idó-
neos para que pudieran terminar siempre congela-
dos en un instante, contemplándonos desde la pared.
Un cuidado y una ceremonia que las generaciones
más recientes hemos dejado atrás. Hoy podemos ha-
cernos una fotografía en cualquier momento y lugar,

pero no tiene ni el valor ni el aire de ritual que tenía para nuestros mayores. No hay retratos que se piensen, que se hagan con calma, con mimo. No existen esas dedicatorias en el revés, no hay lugar para el paso del tiempo, para el color amarillo en las manos y el rostro, en las esquinas, en el paisaje. Nosotros, hijos del progreso, ya no guardamos fotografías en álbumes ni en antiguas cajas de galletas que primero fueron costureros y que han terminado sus días como almacén de rostros y recuerdos. Una foto antigua enmarcada era una especie de hermano que convivía con los demás, una intuición que desviaba la vista al pasar, una necesidad, a veces real, de querer enderezarlos, quitarles el polvo, tocarlos, hablarles.

Nuestra forma de mirar y el proceso también han cambiado. Ya no basta con alargar la vista hacia las paredes para recordar porque interviene un elemento más entre el papel y nuestro cuerpo, la tecnología. Hurgamos en aplicaciones, medios, herramientas, sistemas informáticos para rememorar, necesitamos un elemento extraño a los que contemplamos para acercarnos a ellos. Pero la verdad es dolorosa, y abrupta, si una se para a pensarlo. No existe nadie ya en las fotografías que cuelgan en las casas de nuestros abuelos. Son sólo marcos, marcos vacíos.

No fue hasta la muerte de José Antonio, mi abuelo paterno, el veterinario, que empecé a detenerme en las fotografías que habitaban en las dos casas familiares. Empezaron las preguntas, el miedo, la inquietud de continuar mi día a día sin conocer la vida de los que me precedieron. Es curioso porque él no fue el primer abuelo que murió, sino el segundo. José, mi abuelo materno, murió cuando yo tenía siete años. Un cáncer se lo llevó demasiado pronto. Llevaba toda la vida trabajando y la enfermedad lo ahogó de golpe, como les pasa a los cachorros nuevos que no saben nadar y se ahogan en la alberca, sin quejarse ni decir palabra, sin darse cuenta. Yo era demasiado pequeña y tampoco me di cuenta. De él sólo recuerdo sus manos llenas de sangre despellejando liebres en el patio de su casa. La camisa abierta dejando ver la camiseta blanca interior, los pantalones agarrados con una guita, las manos fuertes y morenas, llenas de arrugas, mezclándose con las entrañas rojas del animal. Recuerdo el calor pegado a la piel, alguna mosca acompañándonos, una especie de olor dulzón entre la vida y la muerte que sobrecogía al mismo aire, al tendedero, a las macetas y al escalón donde él sentado se convertía en una estampa infinita que no dejaría de repetirse a menudo en mi memoria.


Su muerte fue entonces como un trámite para mí. Quizá porque apenas había pasado tiempo con él.

Siempre estuvo como en un segundo plano. Ahora me pregunto qué hubiera pasado si la muerte se los hubiera llevado en otro orden, si la muerte se hubiera convertido en una especie de jugador solitario que altera acontecimientos y marca otros caminos en la vida de los demás. No puedo evitar sentir una mezcla de rabia y arrepentimiento por no haber pasado más tiempo con él. Es algo inconsciente, que sale sin darme cuenta. A veces lo pienso como una ficción.

Muchos años después, me desperté sudando, nerviosa, con el corazón latiendo en la garganta. Hacía mucho calor. Acababa de tener un sueño, pero no lo recordaría hasta horas más tarde, en el trabajo. Conduciendo, de vuelta, sin nada en mente y concentrada solamente en la línea continua de la carretera, de golpe, aparecieron las imágenes. Era la primera vez que soñaba con mi abuelo José. Estábamos juntos, entre sus olivos. En la mano de él, un árbol pequeñito en una lata sucia, oxidada, llena de tierra. En el suelo, varios agujeros recién hechos, candidatos para cobijar y alimentar las raíces del futuro olivo, esperando, haciendo notar en algunas piedras su espera. Entre nosotros corrían liebres, salían de sus madrigueras, nos obviaban. Éramos un elemento más en el paisaje, algo que no interviene ni rompe el ritmo propio del campo. En el sueño hablaba, pero una parte de mí sabía que no era su voz. Es verdad que en el sueño me dejé llevar, sólo miraba, me llenaba las manos de tierra, sostenía cuando él hablaba la lata con el arbolito. Mientras conducía, me vino una mezcla de pena y rabia terrible.

Había olvidado por completo su voz.

Me pregunto muchas veces si la infancia es un espejismo. Recurro tantas veces a ella que me da miedo pensar que posiblemente la haya deformado o idealizado. Desde que tengo conciencia de mí misma, he sabido que quería hacerme mayor viviendo como cuando era niña. Volverme adulta haciendo el camino a la inversa, regresar a lo que me rodeaba y me hizo tener tanto apego al campo. Soy lo que soy gracias a mi infancia. Desde pequeña, siempre supe que quería ser veterinaria de campo, como mi abuelo. Pasé mis años de niña con él, entre animales, en el huerto. El medio rural era el sustrato fundamental en el que mi familia, tanto materna como paterna, ha ido entrañándose y sucediéndose: el huerto, la despensa, los alcornoques, encinas y olivos, los hermanos, los animales, compañeros de trabajo y sustento.

A los que escribimos nos preguntan a menudo el porqué de lo que hacemos. Cómo surge la primera palabra, el primer poema, la primera narrativa. E intentamos, en vano, explicar algo que no tiene lindes, darle sentido, buscar la raíz o el origen de esa manía de volcar todo a través de las palabras. No recuerdo cuándo empecé a escribir, ni el motivo. En mi cabeza lo imagino como algo automático, rutinario, como quien busca las gafas tanteando con la mano en la mesita de noche tras despertarse. Es algo que siempre ha estado ahí. Sí que podría escribir sobre lo que hace que termine escribiendo. Esos elementos que de repente se vuelven protagonistas, acaparan la luz y la atención y no hay nada más. A veces aparecen y te acompañan durante horas, días, incluso meses, hasta convertirse en palabra. A mí me gusta verlos como un destello. Algo que irrumpe e ilumina, que cambia el curso de las cosas.

Mi infancia es un destello: las manos de mis abuelos, las vendas y las navajas para hacer los injertos, los corderos sin madre, las cabras viniendo a la llamada del pastor, los olivos y alcornoques, los cencerros, los jerséis de lana, los libros y manuales de veterinaria de mi abuelo... También lo que se sucede en mi día a día como veterinaria de campo: los animales que se cruzan en los carriles, los ganaderos y ganaderas con las que trabajo, sus palabras, sus manos, las cestitas de mimbre llenas de verduras y huevos, la leche de cabra recién hervida, algún hijo que se arranca de alguna maceta para que crezca en otra, canciones, historias, nanas, pequeñas palabras que no se oyen en las ciudades y que aquí, menos mal, campan a sus anchas y siguen meciéndose entre las manos de los que trabajan y habitan el campo.

Para la escritora portuguesa María Gabriela Llansol, su jardín de Herbais, su casa en el exilio, en el que pasaba tantas horas cuidando las plantas mientras leía, o simplemente sentada, contemplando, era su narrativa invisible, el destello principal que hacía que más tarde surgiera la palabra y comenzara a escribir, como si esa luz que brota de lo que nos obsesiona y nos conmueve, en cierta forma, se mudara a la mano que termina volcando la palabra al papel.

Una cuestión que me persigue es qué pasaría si esta narrativa invisible que forma parte de mi vida no fuera ésta. ¿Escribiría? ¿Tendría otra? Ésta, por así decirlo, es mi narrativa invisible, y aquí me cobijo, y aquí, y así, intento construir una casa, aún frágil, tímida, a veces cuerpo y a veces fantasma, donde tienen cabida surcos, ramas, animales y semillas, donde la palabra, latiendo, temblorosa, persigue quitarle sombra y polvareda al medio rural y a todos sus habitantes.


Otro de estos destellos, uno de los más recurrentes, es el trayecto que hacíamos y seguimos haciendo en el coche hasta llegar al pueblo. Yo, de pequeña, siempre con la mejilla pegada al cristal, hiciera frío o calor, mirando de reojo, forzando la vista y la postura, aguzando también el oído, como si quisiera traspasar la pantalla, contando robles entre encinas, arbustos y alcornoques, viendo animalillos que se cruzan tras los dedos y la voz atenta de mis padres, los pasos de algún ciervo siempre dudando, a un lado de la carretera, las jaras multiplicándose en el arcén, arañando el coche, como si quisieran llegar hasta nosotros. Contar era una forma de hacer que el tiempo pasara más deprisa, de querer saber, de llamar a esos animales que aparecían ante nosotros, sustituirlos por los minutos, convirtiéndolos en el minutero que nunca para y que era un extraño absoluto que surgía en nuestra infancia. Quizá de ahí me venga una especie de calma, de tranquilidad, de serenidad irreal, esa voz diminuta que me dice que todo está bien y que todo irá bien cuando aprendo el nombre de algo que no conozco. Creo que fue George Steiner el que escribió eso de que «lo que no se nombra no existe». Pero ¿quién seguirá nombrando lo que deja de existir? ¿Seguirán ahí a pesar de que ya no existan y dejen de nombrarse? ¿Y quién nombrará por primera vez a lo que no se nombra? ¿Qué desencadena la primera voz y el primer nombre?

Cuando apareció la demencia senil de mi abuela paterna Teresa, descubrí que no sabía nada de ella.

Absolutamente nada. Intenté rastrear, preguntar, sacar cosas. Pero también llegué tarde. Mi abuela tenía un cuerpo de ochenta y tantos y un cerebro estropeado que se había quedado en los veinte. Yo no era su nieta, era una amiga más del pueblo. Su compañera de confidencias y risas. Mi abuela se había convertido en una especie de joven insolente que se reía y me hablaba de dónde escondía las cartas que le escribían los chicos para que su madre no las encontrara. En voz baja planeaba triquiñuelas, me decía dónde escondía su madre el monedero para que a la tarde fuéramos a la plaza a por un helado. Hablaba de la playa, de una casa con un piano gigante. Mi abuelo, mi padre y el resto de mis tíos no existían, no tenían lugar en la foto. Un marco vacío más.

Ella murió y con su muerte me dejó otra manía. La de rebuscar en las cómodas de las casas de mis abuelos en busca de fotografías. No las que cuelgan en las paredes, las conocidas, ésas no. Me obsesioné con aquellas que se quedan en una caja de galletas, solas, amontonadas, tapándose las unas a las otras, sin luz que las estropeen, sin voces que las acompañen y las miren, sin cómodas ni escritorios sobre los que descansar. Pasaron a ser las que recibían mis preguntas. En ellas buscaba todo lo que había dejado pasar sin darme cuenta, como quien arranca un coche en medio del camino y no se da cuenta de que son los árboles los que se marchan, no nosotros. Y se marchan sin decir nada, sin molestarse en volver la vista atrás, sin una palabra que se quede meciéndose en el camino. Se van y nos dejan, no esperan a que nos demos cuenta de que el tiempo corre, que el minutero sigue, a pesar de los animales al margen de las carreteras, de los pajarillos que se cruzan, de los que esperan a que apuntemos con el dedo, preguntemos y les demos un nombre.

Con la muerte de mis tres abuelos quedaron los cuartos vacíos. Las sillas ridículas, las despensas inútiles, las macetas calladas sin luz, los zaguanes cerrados sin sentido. Los marcos vacíos, de nuevo. Y no sólo en estas casas, sino en tantas y tantas que se cierran cuando los últimos que habitan se van a la fuerza y tapan sus muebles con sábanas, como quien cierra los ojos al que muere, esa acción que sólo se hace una vez, que nace y muere en un solo instante, sabiendo, como nace una herida, como se forma una certeza, que nadie volverá a destaparlos.

Ésta es mi narrativa invisible. Mi casa, en llamas, que nunca espera al último ladrillo ni a la palabra para estar lista para que la habiten. ¿Será así la escritura? ¿Algo que nunca espera? ¿Que surge sin más y se impone?

Es legítimo reconocer el paralelismo y el cambio de ritmo entre la escritura, la vida en el medio rural y la vida que se nos impone en este tiempo. Otros tonos, otras canciones, otros ritmos. En el de la literatura, como en el campo, creo, no debería haber inmediatez. Dos mundos que, a primera vista, parecen tan distantes pero que comparten tanto. Los destellos, las semillas, el cuidado, la calma, la paciencia mientras ves crecer y cuidas todas las multitudes que nacen y se extienden y prosiguen a pesar de. Bellas o crueles, parten de una mano que cuida y que tienen un mismo fin: el de la supervivencia.

Tuvieron que desaparecer ellos de mi vida para darme cuenta. Un poco tarde, porque los hijos y los nietos siempre llegamos tarde a las cosas, a la misma vida. Por mucho que nuestros padres y nuestras madres nos cuenten, nos preparen el camino, nos den pistas del rastro para ver al pájaro que se intuye desde la rama, pero que no se ve. Y no se ve porque tardamos en aprender a mirar, en reposar la vista y el tacto en los márgenes, en caer en la cuenta de que tras los marquitos que cuelgan en las casas de nuestras abuelas y nuestras madres hay una belleza incómoda, un dolor, una historia, una genealogía latente, pendiente de que la rescatemos y la hagamos nuestra. Una genealogía a la que pertenecer y en la que reconocerse.

Este ensayo que crece a partir de aquí, como las vainas enrolladas del trébol carretón que se enganchan al lomo de las ovejas trashumantes para germinar a miles y miles de kilómetros del lugar donde nacieron, es simplemente eso, una llegada, espero que no demasiado tarde, a lo que conforma mi narrativa invisible, a las que no se nombraron y existieron, a las que siguen ahí, en la sombra, con voz pero que no se oyen porque no hay espacio ni altavoz posibles para ellas. Este ensayo es una mano, al fin, decidida a alargar y trasplantar, a cuidar antes de que los marquitos de nuestras casas queden completamente huérfanos, callados, vacíos, sin que nadie los mire.

# PRIMERA PARTE

# CAPÍTULO 1
## UNA GENEALOGÍA DEL CAMPO

Soy la hermana de un hijo único.

Agustina Bessa-Luís

Vengo de una tierra donde la nieve no es familiar. Estamos acostumbrados a que se vaya la luz, desaparezca la señal de televisión y que la pantalla sólo refleje lo que las velas alumbran. Un objeto inservible que se transforma en el espejo de los que estamos sentados a la mesa, jugando con las mariposas de aceite entre las manos, esas mariposas que nunca vuelan, sólo flotan, que se guardan en una cajita de cartón arrugada protegidas por un santo dibujado, arrullados por el olor y el calor en las rodillas bajo las enaguas, por el sonido de la paleta con el brasero de picón. Se sigue con la vida descansando los codos en una tarima mientras vuelve la luz a casa.

A mi abuela materna, Carmen, la única abuela que me queda, le dan mucho miedo las tormentas. No le gusta que los demás estemos fuera de casa mientras llueve y caen los truenos. No sé quién de mi familia me contó que, cuando era joven y volvían las tormentas, colocaba un tarro de sal con unas tijeras clavadas debajo de la cama con el fin de que no les pasara nada ni a la casa ni a ninguno de sus habitantes. Nunca he sabido el porqué. Nunca lo he preguntado. Como si esa ceremonia fuera algo natural, un rito a celebrar en casa, un ejercicio hermano.

Lo desconocido nos atrae. Cuando nieva en el pueblo, lo celebramos de una forma especial. Salimos a la calle, nos tiramos bolas de nieve, subimos al helipuerto y nos lanzamos ladera abajo con bolsas de plástico haciendo de trineo, cogemos el coche y vamos al campo, a comprobar cómo los animales se las apañan en el nuevo elemento, a contar los dedos de profundidad del edredón que cubre la tierra.

En mi trabajo, cuando subo al norte y voy conduciendo y de pronto me veo rodeada de nieve, no puedo dejar de mirarla. Se convierte en un imán. A veces tengo la necesidad de tocarla. Pero es difícil parar si vas conduciendo por autovía. Sólo está permitido hacerlo en una zona señalizada y construida expresamente para ello: no es el campo en sí, sino algo artificial, un área de descanso en el que el paisaje deja de ser lo que parecía desde dentro del cristal. Los carriles que salen a los prados y a las tierras de cultivo, a los lugares donde pastan las vacas y sus sombras se confunden con los árboles al caer la luz, nunca están señalizados. Aparece entonces una desilusión porque lo que anhelabas tiene otra forma, no existe. De pronto la nieve en esa área de descanso te parece nimia, fuera de lugar, sin sentido. La respiración se adapta a la velocidad de los coches en la carretera. La humedad empapa tus pies, recordándote que eres una extraña en un sitio igualmente extraño. Intuyes un rebaño por los cencerros, algún pueblo por el humo de las chimeneas, algún pájaro por el sonido de un aleteo repentino. Te acercas a los árboles buscando un pequeño nido entre las ramas, pero sabes que no encontrarás nada. Miras al suelo y no hay más rastro que tus propias huellas. Aquello que habías visto conduciendo se ha quedado atrás, en el retrovisor, convertido en algo inalcanzable. Estás fuera de lugar. Estás dentro del campo, pero a la vez no existe el campo. No hay animales ni casas, tampoco nidos ni huellas. Los árboles se plantaron de la misma forma que se plantaron mesas de merendero y contenedores. No hay ninguna interrelación con el medio que lo rodea.

Un área de descanso. Sólo una ilusión más que se rompe conforme nos aproximamos a ella desde el coche. Un espejismo. La nada.

Yo no pongo tarros de sal debajo de la cama cuando aparece la tormenta, pero no puedo evitar imaginarme a los que viven fuera enfrentándose a ella. Vivo en lo que sucede en el retrovisor cuando voy viajando. Me convierto en una mera espectadora. Me imagino a ellos fuera, huyendo de los árboles, resignándose con la nieve o la lluvia, corriendo, de vuelta a casa. También me pregunto por los animales, hago conjeturas sobre cómo les afecta el cambio del tiempo. Pienso mucho en los nidos. ¿Notarán las crías las primeras gotas de lluvia? ¿Serán conscientes del balanceo de las ramas por el aire? ¿Reconocerán la nieve, la lluvia, el viento? ¿Tendrán esa misma atracción irremediable que siento yo siempre que comienza a nevar?

Tuve que escribir y publicar un libro, *Cuaderno de campo*, para que las historias de mi familia comenzaran a caminar solas por la casa sin miedo ni pudor. Y no fue de manera consciente, quiero decir, en casa las cosas se sucedían y ocurrían sin prestarles importancia ni reconocerlas. Mis padres y mis abuelos quizá pensaron que lo que ellos tenían que contarme no era suficientemente bueno o interesante. También, reconozco ahora con algo de vergüenza, que de niños no nos atrevemos a preguntar. Veía, escuchaba, dejaba hacer, imitaba. Pero me costaba preguntar acerca de los míos, de las cosas que sucedían en el campo, de nombres de árboles y animales, de semillas, de tarritos y recetas. Como no sabía cómo vivían mis compañeros de colegio en sus casas, pensaba que sus vidas estarían también llenas de los mismos elementos que la mía. Me equivocaba. No todo el mundo tiene pueblo. No todo el mundo puede volver a un trocito de tierra y doblarse la falda para recoger los alimentos del huerto. Llamar al rebaño y que acuda corriendo a la voz. Y como no compartía ese sustrato de vida con ellos, me aislé. Y como no preguntaba ni quería saber, corría a los libros a encontrar allí las respuestas, inconsciente, ingenua, por no saber que estaban mucho más cerca de lo que pensaba.

Siempre, siempre quedan las huellas.

Y por eso, cuando se intuye la nieve a lo lejos o los copos empiezan a caer cuando voy camino al norte, me viene siempre la misma escena que leí en un libro de Eliseo Bayo que surgió de las entrevistas que hizo en los años sesenta y setenta a la gente que trabajaba y vivía en el campo de este país: *Oración de campesinos*.

La imagen del libro de Eliseo que regresa siempre conmigo cuando irrumpe la nieve pertenece a una costumbre muy habitual entre los pastores trashumantes del norte. Cuando nevaba o llovía, cambiaban la forma de pisar. Uno iba abriendo camino, mientras el resto adoptaba el hábito de ir pisando sobre las huellas del primero para así evitar mojarse los pies. Cuestión de supervivencia. Así, huella tras huella, continuaban, hasta que llegaba la hora de la comida. Luego, el cuerpo, a la intemperie, buscaría un refugio entre la respiración caliente del rebaño, en esos pequeños círculos con formas de animales que cuando llega la noche llenan de manchas el suelo. La tierra, caliente y finita, daba tregua unas horas a los caminantes antes de que emprendieran de nuevo la marcha.

Puede que ahí esté el germen: aunque la nieve me es tan extraña, no he podido evitar hacerla muy mía. Y vuelvo la vista atrás y rebusco, recorro de puntillas los pasos, miro a mi padre y a mi abuelo, me reconozco niña, atenta y pendiente de lo que ellos hacían, y me siento como ese pastor trashumante que coloca con mucho cuidado sus pies sobre las huellas que el anterior ha dibujado con firmeza.

Porque, por costumbre, solemos aprender siempre del que nos precede, de ese que se ha mojado los pies pisando primero. Y como en tantas familias e historias que suceden en este país, en cierto modo, los que nos han ido abriendo el camino, retirando el agua y apartando las zarzas de la vereda para que el rebaño continúe han sido hombres. Ellos. Los primeros. Los que se veían. Los que se podían señalar. Reconocer. Valorar. Hombres a los que querer parecerse.

Lo reconozco:

Soy una mujer que es tercera generación: mi abuelo era veterinario, mi padre es veterinario y yo también lo soy. Soy la primera nieta, la primera hija, la primera sobrina. Pero también la primera veterinaria. Vengo de una familia que siempre ha estado ligada a la tierra y a los animales, a la ganadería extensiva. Mi infancia está llena de alcornoques, encinas y olivos, algún huerto, despensas y muchos animales. De pequeña, siempre los admiraba a ellos. Los hombres eran la voz y el brazo de la casa. De hecho, quería ser uno de ellos. De pequeña y hasta bien entrada la adolescencia, odiaba los vestidos, la melena que mi madre se empeñaba en peinarme y las muñecas con las que se suponía que tenía que jugar. Yo quería ser fuerte, corría detrás del rebaño sin miedo y me caía una y otra vez cuando me hacía la valiente sorteando las huellas, demasiado grandes para mi bici, que dejaban por un tiempo los tractores en los carriles. Siempre aparecía la primera cuando mi abuelo o mi padre necesitaban ayuda. Quería ser como ellos. Demostrarles que era tan fuerte y estaba tan dispuesta como ellos. Porque si hay algo que nos queda claro desde pequeños es esto. Que los hombres de sangre y tierra nunca lloran, no tienen miedo, no se equivocan nunca. Siempre saben lo que hay que hacer. Siempre.

A esa edad, las mujeres de mi casa eran una especie de fantasmas que vagaban por casa, hacían y deshacían. Eran invisibles. Hermanas de un hijo único, como dijo en una ocasión la escritora portuguesa Agustina Bessa-Luís sobre su infancia. Hermanas de hombres fuertes. Mujeres invisibles a la sombra del hermano. A la sombra y al servicio del hermano, del padre, del marido, de los mismos hijos. Y no puede ser más certero y, a la vez, más doloroso. Porque es ésta la historia de nuestro país y de tantos: mujeres que quedaban a la sombra y sin voz, orbitando alrededor del astro de la casa, que callaban y dejaban hacer; fieles, pacientes, buenas madres, limpiando tumbas, aceras y fachadas, llenándose las manos de cal y lejía cada año, sabedoras de remedios, ceremonias y nanas; brujas, maestras, hermanas, hablando bajito entre ellas, convirtiéndose en cobijo y alimento; transformándose, con el paso de los años, en una habitación más que no se hace notar, en una arteria inherente a la casa.

Pero ¿quiénes son los que cuentan las historias de las mujeres? ¿Quién se preocupa de rescatar a nuestras abuelas y madres de ese mundo al que las confinaron, de esa habitación callada, en miniatura, reduciéndolas sólo a compañeras, esposas ejemplares y buenas madres? ¿Por qué hemos normalizado que ellas fueran apartadas de nuestra narrativa y no formaran parte de la historia? ¿Quién se ha apoderado de sus espacios y su voz? ¿Quién escribe realmente sobre ellas? ¿Por qué no son ellas las que escriben sobre nuestro medio rural?

Han tenido que pasar muchas cosas y mucho tiempo para conocer las historias de las mujeres de mi familia, para poder hurgar en ellas, reconocerme y sentirme orgullosa. Para preguntar sin pudor y conocer, y conocerme también, a fin de cuentas. Han tenido que quedarse las casas vacías, absurdas con sus marquitos de fotos, con ellas mirándome siempre. Han tenido que irse para no regresar muchas de ellas. A veces sin volver la vista atrás, sin dejar ni siquiera un leve rastro en la tierra para seguir sus pasos. Quizá las hijas nos hemos despertado un poco tarde, pero al fin cuestionamos y reivindicamos, tomamos el relevo con la voz. Ahora que miro atrás y me doy cuenta, no puedo evitar notar una sensación que no para de oscilar como un reloj de pared entre la rabia y la culpa. ¿Por qué ellas no ocupaban un espacio importante entre mis referentes? ¿Por qué no fueron nunca el ejemplo a seguir? ¿Por qué de niña no quería ser como ellas?

Resulta extraño, ahora que vivimos afortunadamente en una sociedad feminista, preguntarse algo tan obvio. Pero volvemos la vista atrás en nuestras casas y encontramos historias parecidas. Todo lo que llegaba a casa, lo importante, las alegrías y las proezas, las buenas noticias, siempre venían de la misma voz. Nos contaron que sólo trabajaba el hombre, que era él el que merecía descansar al llegar a casa. Silenciamos y pusimos a la sombra a aquellas que hacían las tareas domésticas, que se arremangaban las mangas y las faldas en nuestros pueblos, que ayudaban en las parideras, que trabajaban el huerto, cuidaban las gallinas, recogían aceitunas. Les quitaron la luz para que el centro de atención y los cimientos de la casa alumbraran siempre al mismo, para que los demás no desviáramos la vista, ni perdiéramos la atención. Teníamos como normal que nuestras madres y nuestras abuelas se encargaran de todo y pudieran con todo: la casa, los cuidados, los hijos, el campo, los animales. Les quitamos sus historias y no nos inmutamos. Dejamos que fueran ellos los que contaran, los que siguieran marcando el camino para los demás. A ellas, a nuestras abuelas, nuestras madres, nuestras tías, las veíamos como algo extraño y familiar a la vez, algo cercano pero que pertenece a otra galaxia, con otro horario y otra atmósfera. Ellas nos hablaban y contaban, pero no las entendíamos, porque, sencillamente, no las escuchábamos. Las pautas que nos habían dado hasta ahora venían prácticamente en su totalidad desde el género masculino.

¿Cómo se escribe sobre lo que no se valora? ¿Cómo sacar de la sombra lo que se arrincona y se deja allí como algo normal? ¿Cómo reescribirlas? ¿Cómo devolverles la voz y la palabra que siempre han tenido pero que no ha sido escuchada ni tenida en cuenta? ¿Cómo involucrarlas en nuestras historias si en nuestro lenguaje y nuestra narrativa no han tenido cabida como protagonistas nunca?

Y no todo se reduce al ámbito doméstico. Este aislamiento de las mujeres es una enfermedad que ha sabido expandirse por todos los estratos. Me siento igual que alguien que descubre las habitaciones de una casa abandonada y va entrando, cuarto por cuarto, levantando las sábanas que cubren los muebles y buscando un reflejo en las ventanas y en los espejos. No. No es sólo la casa en la que crecí. La infección llegaba a todas las capas de mi vida: el colegio, la universidad, mi trabajo.

Los libros entre los que crecí, todos esos apuntes y manuales de consulta con los que pasé tantas horas en la biblioteca, guías de animales y de aves, todas esas novelas, esos cuentos y esos poemas, todos, prácticamente en su totalidad, escritos por el mismo sexo. Todos aquellos a los que admiré y seguí: científicos, ecologistas, pensadores, veterinarios, pastores, agricultores, jornaleros, ganaderos, conservacionistas, divulgadores, todos ellos, todos, absolutamente todos, hombres.

Mi abuelo. Mi padre. Mis tíos. Los que trabajaban en el campo y a los que yo me arrimaba para ser como ellos. Las horas pegadas a la televisión viendo los documentales de Félix Rodríguez de la Fuente. Los pasajes de Miguel Delibes. Los poemas de Federico García Lorca. Ese querer escribir como Julio Llamazares cuando leí por primera vez *La lluvia amarilla*. Los animales que no dejaban de aullar en los poemas de Ted Hughes. Los pájaros que convivían con una cita de Shakespeare en la guía de Peterson. Como los pájaros que mataba John Audubon para luego poder pintarlos mejor. El humanista y veterinario cordobés Castejón. También el que fue presidente de la república en el exilio, y que se convirtió en el primer veterinario en reconocer y valorar al ganado de nuestro territorio, Gordón Ordás. Esa saga entrañable llena de criaturas grandes y pequeñas del inglés James Herriot. Los libros y manuales antiguos de veterinaria en francés de mi abuelo siempre escritos por hombres. Como las fotos de vacas que traía de sus viajes a Canadá. Siempre eran hombres los que posaban sonriendo con sus animales, siendo protagonistas, dueños, cuidadores.

¿Dónde estaban las mujeres?

Sé que esto que acabo de exponer ahora puede parecer demasiado obvio. Hace diez años, incluso menos, no era así. Por suerte, pertenezco a una generación que brilla y que tiene una labor fundamental: rescatar a todas esas mujeres que han quedado apartadas a lo largo de los años, sin voz, como se dejan solos, sin remordimiento ninguno, a esos muebles de algunas casas vacías junto a las polillas, amparados bajo una sábana inútil que no ofrece ninguna protección. Sólo las invisibiliza. Sólo apaga su voz. Gracias a este despertar colectivo, gracias al feminismo, surge una búsqueda incansable y necesaria. Al fin, estamos conociendo a científicas, escritoras, activistas, pensadoras, ecologistas, conservacionistas..., mujeres que se movieron y destacaron en un mundo de hombres pero que, por el hecho de ser mujeres, pasaron totalmente desapercibidas.

Afortunadamente, hoy los papeles han cambiado: las historias de las mujeres salen a la luz y se convierten en referentes, modelos a seguir y vidas que contar para las niñas de nuestros días y de los que vendrán. Cuando empezamos a ser conscientes de lo importante que es reconocerse en alguien surge un sentimiento nuevo: sentirse hermana de alguien que conoce el camino, convertirla en una pieza clave en nuestra historia, en un engranaje que nos permitirá crecer día a día. Una estela que poder continuar y crear, al fin, nuestra propia narrativa.

Queremos mujeres en todos los espacios.

Que sean ellas las que cuenten, formen y construyan. Que sean ellas las que puedan dar el paso adelante sin sentir miedo ni vergüenza. Es algo que ahora vemos completamente normal en nuestro día a día. Nos enfadamos si notamos que no hay mujeres en cualquier lugar y evento. Alzamos la voz, escribimos, nos manifestamos, celebramos.

Y yo, mujer que procede del medio rural y que trabaja en él, me vuelvo a sentir hoy como ese péndulo oscilante del reloj de pared. Como una cuerda que cae pero que a la vez está sujeta. Como ese cubo que bajamos al pozo sin saber qué nos traerá de vuelta al subirlo a la luz.

Porque estoy intentando construir una casa. Una casa donde tengan refugio todos esos destellos que me han traído hasta aquí. Unos cimientos y unas paredes que den cobijo a las palabras, a las nanas, a los animales. Que pueda sentirme acompañada, no de fantasmas, no de sombras. Que me sienta segura para hablar del lugar del que vengo y en el que vivo, pero siempre que empiezo a poner el siguiente ladrillo pasa lo mismo: la casa que construía sólo estaba llena de hombres.

Mi narrativa invisible. Las mujeres de mi casa. Como la umbría, esa zona de las laderas en la que apenas llega el sol. Esas vertientes que, por su orografía, quedan dedicadas a la sombra.

En la umbría también crecen especies fuertes. Árboles y plantas que necesitan más agua. Animales que van en su busca para refugiarse y alimentarse. Como los hombres en verano que se sientan en ella a descansar entre faena y faena. La sombra. La falta de luz. Que no podamos verlas, o mejor dicho, que no sepamos verlas, no significa que no estén ahí.

¿Acaso, además del nombre, necesitamos la luz para existir?

Vuelvo a ese proyecto de casa y miro a mi alrededor. Rebusco en los libros, en las estanterías, en los recortes. Leo lo que escribieron sobre el medio rural otros antes. Lo que escriben sobre el medio rural otros ahora. Y tropiezo. Tropiezo una y otra vez con esa literatura que nos llama *granjeros*, que nos asocia siempre a la palabra vacía, que nos describe desde el paternalismo y las grandes ciudades, que nos visita para reportajes graciosos, que se empeña en escribir del medio rural como si fueran sepultureros, que usurpa la voz de los que se manchan las manos de tierra y habitan entre campiñas y montañas. Que tampoco, qué sorpresa, las nombra a ellas.

Nuestro medio rural necesita otras manos que lo escriban, unas que no pretendan rescatarlo ni ubicarlo. Unas que sepan de la solana y de la umbría, de la luz y la sombra. De lo que se escucha y lo que se intuye. De lo que tiembla y lo que no se nombra.

Una narrativa que descanse en las huellas. En las huellas de todas esas que se rompieron las alpargatas pisando y trabajando, a la sombra, sin hacer ruido, y que siguen solas, esperando que alguien las reconozca y comience a nombrarlas para existir.

# CAPÍTULO 2
# UN FEMINISMO DE HERMANAS Y TIERRA

*Dijo la mujer: Señor,*
*desde el principio de los tiempos*
*me has colocado a los pies de los vivos*
*y a la cabecera de los muertos.*

NATHAN ALTERMAN

La indiferencia no existe en los pueblos. Aquí todos se conocen. Todos saben de lo bueno y de lo malo. Todos forman parte de las historias que se cuentan y de las que se quedan en casa. En un pueblo no puedes ser invisible, no puedes dejar de existir. Las vidas y la muerte se suceden de formas totalmente diferentes a como se dan paso las unas a las otras en la ciudad. Se convierten en una ceremonia que también pertenece al pueblo, la comunidad forma parte de ellas, se involucra, en una especie de celebración. Los habitantes hablan sin tapujos de los que nacen y los que mueren, contando todo tipo de detalles, haciéndote partícipe de lo que sucede entre sus calles. Se habla de la muerte como de la lluvia y el frío, como se espera el buen tiempo. En los pueblos, a diferencia de las ciudades, la muerte no se esconde. La muerte ensucia, alcanza las campanas y las puertas, deja su olor y su tacto en las habitaciones. Es un transeúnte más que camina por las calles, que reconoce y llama a todas las puertas de sus vecinos. Es un comensal más que se sienta a la mesa, que no come ni tira la servilleta al sentarse, que nunca repite pero que tampoco nunca se levanta, que siempre está ahí, callado, atento, presente.

Semanas antes del Día de Todos Los Santos, las mujeres se arremangan y se preparan para arreglar los lugares que habitan los suyos, los que ya no están. Van camino al cementerio cargadas con escaleritas y cubos llenos de trapos y botes de limpieza. Limpian las tumbas, sacan brillo a las lápidas, pintan las paredes de sus pequeñas parcelitas, cambian los jarrones, traen flores nuevas para sus muertos. Hablan, hablan mucho con ellos mientras hacen estas pequeñas faenas en los cementerios. Desde pequeña, siempre me resultaba curioso oír a las mujeres de mi pueblo, intuir en ellas, sobre todo en mi madre, mi abuela y mis tías, un tipo de preocupación por no haber ido antes del 1 de noviembre a dejar bien limpio el trocito de los suyos que le correspondía a cada una. Los suyos, esos que ya no están pero siguen entre nosotras, esos que nos miran desde las fotos, desde algún marco ladeado por el peso de la ausencia, esos que siguen teniendo nombre pero ningún cuerpo ni voz, esos que seguimos nombrando, echando de menos, imaginándolos en situaciones del presente y planteando posibilidades que nunca darán paso si ellos estuvieran aquí. Como si ésos, los nuestros, les pasaran revista y notaran la ausencia.

Y ellos, ellos qué saben. ¿Sabrán acaso que hay tumbas hermanas de las suyas, esas que nadie arregla y con las que nadie conversa, que se quedan solas y dejan paso a una hierba suave y verde que se extiende sobre ellos como un fino manto? ¿Notarán las manos de las suyas guardadas en guantes de plástico, el olor a lejía y el traqueteo de las escaleras y el reemplazo de las flores? ¿Se darán cuenta ellos y los cipreses de siempre de los últimos en llegar? ¿Servirá la limpieza de esas manos y esos lirios nuevos para algo parecido al alivio?

Porque con los que se van, como con los que llegan, en los pueblos lo que se hace y lo que se deja de hacer también se sabe. Todo puede convertirse en un secreto a voces. Todos saben de todos, para lo bueno y para lo malo. Y exponerse, como salir a la luz o levantar la voz, también es una forma de señalarse.

Recuerdo la primera vez que oí la expresión popular «Pueblo pequeño, infierno grande». Fue un choque, una contradicción conmigo misma. En parte, porque tiene algo de razón. Cuando la comunidad es pequeña, hay vínculos entre todos, lazos innatos que unen y se estrechan entre sus habitantes. Y como todo lo que transcurre y late, tiene sus cosas buenas y otras que no lo son tanto. Pero también algo de mí le reprochaba a ese dicho popular que era injusto. ¿Será que somos expertos en sacar a la luz sólo lo malo? ¿En señalar lo que debería pesar menos? ¿Caben en esas cuatro palabras todo lo que sucede en un pueblo?

Tiempo después esa contradicción sigue conmigo misma. Por todo lo que conlleva, por los tiempos que estamos viviendo y que al fin vienen para quedarse. El Ocho de Marzo de 2018 marcó claramente un antes y un después para las mujeres, para el país, hasta alcanzar todas las ciudades del territorio. Las calles y las plazas se convirtieron en una fiesta. Mujeres de todas las generaciones salieron a la calle para alzar la voz, para hacerse ver como nunca. Yo también formé parte de esa marea violeta tan necesaria y llena de luz. Nos dimos la mano, las voces se convirtieron en una, todas juntas, aunque no nos conociéramos, nos reconocíamos, nos apoyábamos. Éramos hermanas.

Las redes se llenaron de proclamas y manifiestos feministas. Se compartían vídeos y fotos de las manifestaciones que ponían los pelos de punta. Las lágrimas salían, era imposible no emocionarse con lo que vivimos en este país el pasado Ocho de Marzo. Días antes, muchas mujeres de diferentes sectores se organizaron. Prepararon la huelga, formaron grupos, dieron instrucciones. Se apoyaron las unas a las otras. Cada vez que entraba a la red me encontraba con un nuevo manifiesto: periodistas, escritoras, editoras, médicas, abogadas, enfermeras. Todas tenían claro que había que ir a la huelga. Se hermanaron, se unieron, se arroparon. Un Ocho de Marzo en que las mujeres hicieron temblar las calles. Muchas, aunque no pudieron unirse a la huelga ni a las manifestaciones, colgaron su delantal en sus ventanas. Una multitud que caminaba segura de sí misma convertida en una sola voz.

Ese día también me sentí un poco fuera de lugar y volvió la contradicción. Me volví un poco huérfana de otras hermanas. He de reconocer que me enfadé cuando vi que en los pueblos eran poquitas las que se unían a la huelga y se echaban a la calle. ¿Dónde estaban las mujeres?

En mi día a día como veterinaria de campo, estoy rodeada de mujeres maravillosas con las que trabajo y que tienen mucho que decir y que enseñar.

Mujeres que cuidan nuestro medio rural y hacen posible el alimento y el territorio. Mujeres que con sus manos abren paso, marcan un nuevo camino hacia la soberanía alimentaria. Campesinas, ganaderas, jornaleras, agricultoras, artesanas, pastoras. Las mismas mujeres que dejan abiertas las puertas de sus casas para que sus vecinas entren en cualquier momento, que comparten lo que recogen en el huerto o cualquier alimento que llega a casa, todas esas mujeres que viven en nuestros pueblos. Mujeres que apenas vi en las fotografías y vídeos de las manifestaciones. Mujeres que no aparecían en ningún manifiesto. Sentí pena, una mezcla de tristeza con rabia. No lograba entender. ¿Dónde se encontraba la brecha? ¿Por qué unas calles tan llenas y otras plazas tan solas?

Trabajo en dos mundos, el rural y el cultural, que intento aprender a complementar y que se lleven bien entre ellos, aunque se peleen, se quiten tiempo el uno al otro y muchas veces se contradigan. Mi parte escritora estaba encantada con todos los manifiestos feministas y todo el movimiento y el apoyo del mundo de la cultura a la huelga del Ocho de Marzo. Pero ¿y mi otra parte? ¿Hacia dónde tenía que mirar para encontrar esa misma fuerza y cobijo?

De nuevo son importantes las huellas de los que nos preceden y los espejos en los que reflejarse. Los pasos, los tiempos, los ritmos, las distancias. Como este fragmento de la *Trilogía de sus fatigas*, de John Berger:

> Para la gente del campo, la distancia es una noción relativa que depende de su modo de cultivar la tierra. Si cultivan melones entre los cerezos, quinientos metros es una distancia considerable. Si apacientan el ganado en un pasto de montaña, cinco kilómetros no es lejos.

Cuando una se para y mira alrededor es cuando realmente aprende a mirar de forma diferente. A reconocer lo que está y lo que no se ve, pero que también existe. Y que tiene otras formas y otros tiempos para sucederse. El Ocho de Marzo, en la calle, rodeada de mujeres que sentía como una verdadera familia, noté que faltaba gran parte de mis raíces y de mis compañeras. Ellas no estaban. Faltaban. Las mujeres de nuestro medio rural. Su ausencia dolía. Me producía impotencia, rabia, tristeza. Porque es cuando aprendemos a reconocernos en alguien cuando también podemos sentir que existimos por nosotras mismas. Me dolía esa falta de representación de las mujeres de nuestros pueblos, del medio rural. Una ausencia de un reconocimiento justo y más que necesario para todas ellas.

Pero es que olvidamos que el campo tiene otros tiempos, otros ritmos diferentes. Y que el feminismo urbano no puede exigir una forma y una velocidad concretas al feminismo rural. En la ciudad sales a la calle y nadie te reconoce. Exponerte, alzar la voz, manifestarte, no significa nada la mayoría de las veces. Hoy pienso en esas mujeres que salieron a las plazas de sus pueblos y que yo celebré con pena que eran pocas. Qué equivocada estaba. No tenía ningún derecho a enfadarme con ellas, a recriminarles absolutamente nada. La acción de manifestarse y hacer huelga en un pueblo toma mayor relevancia y supone muchísimo más que en una ciudad. Porque todos se conocen. Todos al día siguiente hablan. Todos señalan. Y esas pocas mujeres que salieron con fuerza en sus pueblos significaron y significan muchísimo. Las distancias, las semillas, los tiempos. Lo que ellas hicieron germinar el pasado Ocho de Marzo, por pequeño que fuera, está creciendo y comienza a salir a la superficie. Y brota con fuerza y con voz. Y ya está aquí, creando una red preciosa para las mujeres de la tierra.

Posiblemente muchas que están en este lado se sintieran como yo ese día. Con esa mezcla de felicidad e impotencia. Mi parte que trabaja con el medio rural, mi yo veterinaria, quedaba completamente sola ante el conflicto. Porque no somos conscientes de lo importante que es sentirse respaldada, formar parte de un grupo, notar el calor del reconocimiento. Mirar a un lado y verse en el rostro de otra mujer que te da la mano y que te sonríe. Que te dice, sin hablar, que está ahí, contigo. Por eso todas esas mujeres que salieron a las plazas de sus pueblos fueron una pequeña victoria. Aunque sólo salieran y se dejaran ver. Posiblemente, algunas hicieron huelga, pero sé que muchas ni se lo plantearon. Porque la decisión de parar, de seguir adelante con la huelga, no es sólo un asunto individual, sino que forma parte de un equilibrio, donde, insisto, grupo, reconocimiento e identidad son absolutamente esenciales.

Las mujeres del medio rural parten de otro punto diferente al de las mujeres de las ciudades. El medio rural de este país sigue siendo ese desconocido al que no terminamos de acercarnos. Seguimos escribiendo de nuestro medio rural desde las grandes ciudades, cayendo en la idealización, en esa postal plana y bucólica que no termina de romperse. El país en el que yo me muevo y trabajo poco tiene que ver con ese que retratan con sentimentalismo e incluso con nostalgia en los medios. Es maravilloso ver que el medio rural «está de moda», pero produce impotencia asistir a una ola de columnistas de verano y de fin de semana sin relación ni una preocupación seria por nuestro medio rural. Porque aquí partimos de más abajo. Los habitantes de los pueblos son ciudadanos de segunda. No tiemblo al escribirlo. Desde las ciudades hemos visto como algo normal que la gente de nuestros pueblos no tenga el mismo acceso a los servicios básicos. Sanidad, educación, cultura, infraestructuras. A los que, a pesar de todo, se quieren quedar, los hemos dejado solos. Y lo que menos necesitan esos hombres y mujeres del campo es una literatura «rural» que los rescate. Porque no necesitan ser salvados. Necesitan colegios, buenas carreteras y centros de salud. Necesitan que la administración los ayude y los apoye, que no los maltrate. Necesitan medidas para poder elegir, para no tener que irse a la fuerza. Pero de todo esto hablaremos más adelante.

Es reconfortante ver cómo el feminismo va cogiendo fuerza y espacio, tomando voz y cuerpo, cómo vamos creando tejido y construyendo entre todas una casa donde dialogar y cobijarnos. Crecer juntas es más fácil cuando una tiene un lugar donde reconocerse y sentirse protegida, sabiendo que detrás de ella hay más manos y voces que la respaldarán y la ayudarán a continuar el camino a seguir.

Conociendo el sustrato, sería interesante ver qué podemos exigirnos y qué no. Y no podemos exigir el feminismo que está sucediendo en las ciudades al mismo ritmo en los pueblos. Las mujeres de la ciudad tienen que mirar de otra forma a sus hermanas de los pueblos, empezar a conocerlas de verdad, fuera de estampas y reportajes de domingo. Dejarles espacio y altavoz, darles la mano. Reconocerlas. Porque es así como pudimos echarnos a las calles el Ocho de Marzo. Seguras, reconocidas, fuertes, acompañadas. Y algún día las mujeres del medio rural podrán plantearse hacer la huelga como las mujeres de las ciudades y llevar adelante sus reivindicaciones, teniendo el reconocimiento necesario e igualitario que se ha alcanzado en las ciudades.

A veces es necesario volver la vista atrás. Pensar en ese momento en el que algo se enciende: una idea o una simple lectura que te despierta y que hace que veas las cosas de otro modo. Que te replantees la realidad, que hagas un ejercicio de autocrítica. Y la mayoría de las veces ese estímulo que hace que las cosas cambien viene de fuera. Recuerdo el día que estaba trabajando en un artículo que escribimos desde la cátedra de Ganadería Ecológica de la Universidad de Córdoba. Yo acababa de terminar la carrera. Estábamos preparando una publicación sobre la figura de la mujer en el campo. Por entonces, la palabra *feminismo* no era algo que oyéramos a diario. En la facultad formé parte de asambleas contra el plan Bolonia, pero no había un solo grupo feminista ni reuniones sobre ello. Estaba el germen, pero todavía la semilla no había roto a crecer. De hecho, en la misma facultad, donde la mayoría de los estudiantes de veterinaria éramos mujeres, no hablábamos del tema, no nos planteábamos por qué la mayoría de nuestros profesores eran hombres. Recuerdo muy bien el día porque fue también una de las primeras chispas que me hizo despertar, darme cuenta de que necesitaba el feminismo en mi vida. El dato era el siguiente:

Según datos de la encuesta de población activa del INE, en 2013 el porcentaje de mujeres ocupadas en el sector de «ganadería, silvicultura y pesca» fue del 2,2 por ciento del total de las mujeres oficialmente ocupadas en la España rural.

¿Sólo un 2,2 por ciento? Me quedé sin palabras. Creo que llegué a buscar más artículos para contrastar información. Me parecía que estaba dando de lleno con un error. No, no podía ser un dato correcto. Un 2,2 por ciento. Una cifra insignificante, casi rozando la nada.

¿Qué país era el que conocía y en el que me movía y cuál era el que reflejaba las estadísticas? ¿Dónde quedaban todas esas mujeres que se han dejado (y siguen dejándose) la vida y las manos en el campo? ¿Formaría parte mi abuela de ese 2,2 por ciento, con su pequeña huerta y sus gallinas, su balanza y sus botes de conservas, vendiendo sus verduras a precios simbólicos entre sus vecinas? ¿Y mi madre? ¿Aparecerían ahí, en esa cifra tan pequeña y absurda? ¿Tendría en cuenta ese número tan exacto el frío y las horas que pasaba trabajando de niña entre los olivos de montaña ayudando a mi abuelo a recoger la aceituna? ¿Y las ganaderas que conocía y con las que trabajaba? ¿Dónde quedaban ellas? ¿Cómo podía sólo un 2,2 por ciento amparar a todas las mujeres que trabajan en el medio rural?

Y a partir de esas preguntas comenzó todo. Empecé a buscarlas, a querer saber de ellas. Intenté tomar conciencia, ser consecuente en mi día a día. Empecé a incorporar la palabra *feminismo*, que apenas oía en mis círculos y que, hasta entonces, me era casi indiferente. Dejé de tener reparos en decir en voz alta que yo era feminista. Era hora de despertar del letargo y comenzar.

No he cumplido treinta años todavía. Vivo sola. No tengo hijos. Mi día a día se desarrolla y crece en el medio rural: mi trabajo no entiende de horarios ni espacios geográficos cerrados. Sé que ahora soy joven y puedo hacerlo. No tengo hijos que me esperen a la salida del trabajo, puedo pasar días durmiendo fuera de casa y recorriendo miles de kilómetros sin problema. Me encanta mi trabajo, pero sé que es ahora cuando puedo hacerlo. ¿Qué pasará el día que decida ser madre? Mi trabajo como veterinaria rural lo abarca todo. Escribo por las noches, alguna tarde que me queda libre y, sobre todo, los fines de semana. Es decir, renuncio a mi tiempo libre la mayoría de los casos para dedicarme al otro trabajo que me hace feliz y que siempre está en mi cabeza: escribir. Pero la realidad es que escribo cansada. Mi yo trabajadora «cultural» sufre los horarios de mi trabajo de veterinaria de campo. Suelo levantarme entre las cinco y las seis de la mañana de lunes a viernes, la mayoría de los días que salgo al campo no sé a qué hora regreso, y cuando llega el momento de escribir, estoy demasiado cansada para hacer real esta actividad.

Por otro lado, mi escritura no existiría ni se entendería sin el trabajo de campo, que ocupa tanto espacio y esfuerzo físico y emocional en mi vida. Debo reconocer que tengo suerte, a veces me siento privilegiada por poder escribir en un mundo donde las tendencias de los medios se dictan desde oficinas que están siempre en grandes ciudades. Yo escribo desde los márgenes y tengo voz y espacio para reivindicar lo que hago y aquello en lo que creo, a diferencia de la mayoría de mujeres del medio rural.

Hay días difíciles: mi yo escritora quiere rendirse, dejarse caer y dormir, sólo dormir. Luego, al leer las noticias, siento que tengo que escribir, contar, dejar paso a otras voces, narrar, dar espacio, porque no encuentro reconocido en los medios el mundo en el que me muevo y trabajo. Hasta hace muy poco, cuando se escribía en los medios sobre mujeres del medio rural se usaban fotografías de mujeres indias trabajando en campos, en la mayoría de los casos de cultivos que ni siquiera tenemos en nuestro país. No veía a ninguna mujer que yo pudiera reconocer. ¿Dónde quedaban ellas? ¿Por qué ese nulo interés en las manos que cuidan y trabajan nuestro medio rural? ¿Cómo era posible que alguien pensase que una imagen tan distante fuera más representativa que cualquiera de las existentes en nuestro territorio más cercano?

Y si yo, como trabajadora rural, no me siento reconocida, ¿cómo se sentirán ellas?

Hace unos meses publicaron una entrevista que di al periódico *El Mundo* por *Cuaderno de campo* con el titular SIN LAS MUJERES, EL MEDIO RURAL NO EXISTIRÍA. Me pareció muy acertado. Porque no podía ser más verdadero y no podía sentirme más de acuerdo con esa sentencia. Pasaron unos días y sentí curiosidad por leer los comentarios a la entrevista en redes. Y de nuevo apareció un mundo que no se correspondía con el que yo me topaba todos los días. Muchos de los comentarios, la mayoría escritos por hombres, ridiculizaban el titular. Se reían de él. Según ellos, la mujer no ha trabajado nunca en el campo ni se ha manchado las manos tanto como los hombres. Según ellos, yo no había pisado el campo en mi vida y, por supuesto, no tenía ni idea de lo que era trabajar en él.

¿Quién lleva entonces la venda?

Las mujeres siguen siendo invisibles aunque estén ahí. Trabajan con ellos y no son titulares de la tierra. No toman decisiones. Pero trabajan todos los días. «Tienen tiempo» para todo. Las llaman *mujeres todoterreno* como alabanza cuando debería reprocharse y ser visto como algo malo que una mujer esté disponible para todo y para todos siempre. Porque preparan a los hijos para ir a la escuela, cocinan, dejan la casa limpia, bajan al huerto y cuidan las gallinas, arreglan a los suyos (a los vivos y a los muertos), no salen de esa lista infinita de tareas domésticas y siguen «teniendo tiempo». Tiempo para ellos, claro. Porque después de los cuidados, van al campo, a ayudar al marido, al padre o al hermano en las tareas del día a día, sin ni siquiera tener peso en la toma de decisiones o recibir algo a cambio, y, por supuesto, ni hablemos de titularidad compartida o tener un contrato de trabajo. Y ojo, hablo de todas las mujeres de nuestros pueblos. Y no me refiero a las que trabajan solas como ganaderas y agricultoras y poco a poco, en un mundo donde siempre han estado y en cierta forma siguen al mando los hombres, se hacen ver y reclaman lo suyo. Son conscientes de toda esta negación y este maltrato. Yo hablo de ellas: de mujeres como mi abuela o como mi madre. De todas con las que me cruzo cuando voy al pueblo, a quienes nunca reconozco pero ellas a mí sí. «La nieta de Carmen la gordita, la veterinaria. Dale un beso a tu abuela y a tu madre, anda.» Esas que siempre preguntan por ti, por tu familia. Que se alegran de verte y de que tengas trabajo, de que seas una mujer independiente, que no necesites a nadie para vivir, pero que luego siguen como si nada, con sus *mandaos* y sus cuidados de nuevo.

¿Cómo sacamos a la luz esta realidad que no tiene cabida en las estadísticas, que no se refleja tal y como es realmente en ningún lado? ¿Cómo podemos contarla? ¿Cómo podemos narrar esta dedicación desigual entre el trabajo doméstico y el cuidado de otros? ¿Cómo reconocer esta doble jornada de trabajo para la mujer en un sistema en el que tanto el hombre como la mujer aportan fuerza de trabajo pero en la mayoría de los casos son ellos los que controlan el poder de decisión y el resultado de la producción familiar? ¿Cómo convertirnos en altavoz y soporte para ellas? ¿Cómo reivindicar un feminismo para el medio rural?

«El silencio es un lujo que no podemos permitirnos», escribió Chimamanda Ngozi Adichie. Y no puedo estar más de acuerdo. Aunque dudemos, aunque nos sintamos inseguras. Aunque sintamos miedo. Tenemos que hablar, alzar la voz, escribir. Y sé que el medio rural y sus mujeres no necesitan una literatura que las rescate, pero sí una que las cuente de verdad. Que sea honesta y sincera, que dé espacio verdadero a sus protagonistas. Que no mire por encima del hombro, que no juzgue ni exija, que deje que ellas puedan equivocarse, como hacemos todos, que puedan de una vez contar y escribir su historia. Porque no podemos quedarnos calladas. Porque necesitamos un feminismo que sea de todas y para todas, que supere la brecha geográfica, que se atreva a salir del centro de las grandes ciudades, y que valga para las que tienen voz y pueden alzarla pero sobre todo para las que tienen voz y piensan que no merece la pena que la suya se escuche.

Un feminismo de hermanas y tierra.

# CAPÍTULO 3
# LA MANO QUE CUIDA

Otros se fatigaron
y vosotros os aprovecháis de sus fatigas.

San Juan 4,38


Hay una anécdota que cuenta la escritora Jenny Diski en su libro *Lo que no sé de los animales* que llevo conmigo desde que la leí por primera vez. Ella relata que, de pequeña, se quejaba constantemente de los chalecos de lana que su madre le obligaba a ponerse. Le picaban muchísimo y no los podía soportar. Su madre siempre le respondía igual. Diski tenía que dejarse de lloros y lamentos porque las prendas que llevaba estaban hechas con las mejores lanas que se podían encontrar en Bruselas.

Antes de contarnos esta historia de su infancia, la escritora tira de bibliografía y nos lanza un anzuelo con el concepto *domesticidad*. Este término, creado por el profesor de historia estadounidense Richard W. Bulliet, hace alusión al «conjunto de rasgos sociales, económicos e intelectuales que caracterizan a todas aquellas comunidades cuyos miembros contemplan como parte normal de sus vidas el contacto cotidiano con animales (a excepción de sus mascotas)».

Diski, recordando su reacción y la posterior contestación de su madre, que emigró con sus padres desde el *shtetl* a Inglaterra, afirmaba con rotundidad que se había convertido en un sujeto posdoméstico. Su madre era un sujeto sin relación ni contacto habitual con los animales. Un sujeto que había borrado por completo los animales y el medio que habitan sin miramiento alguno.

No es que la madre de Diski no supiera de qué raza autóctona procedía la lana que había comprado o de qué denominación geográfica eran esas ovejas que hicieron posible la lana. En qué lugar se había criado ese rebaño. O cómo era el sistema de producción. O qué factores eran los que daban al producto tanta calidad y valor para que se convirtieran en las mejores lanas de una ciudad.

No es que la madre de Diski no supiera nada. Es que lo obvió por completo. Es algo que no existía en su narrativa. Para ella, las ovejas no existían, como tampoco el pastor o la persona que esquiló a las ovejas y trató su lana. Para la madre de Diski el campo no existía. No hay más posibilidad. Con esa afirmación tan rotunda que le hace a su hija, el medio rural y sus habitantes no tienen posibilidad de existir. Porque no se contemplan. No se tienen en cuenta. No importan.

Esta anécdota sirve para hablar de nuestro medio rural y de las mujeres rurales que viven en él. Y con ellas no me refiero exclusivamente a las que trabajan en el campo siendo ganaderas, agricultoras, pastoras o jornaleras, sino a todas las que viven en los pueblos de nuestro territorio. Si se puede considerar que una gran parte de la sociedad que vive en las ciudades se ha convertido en sujetos posdomésticos, para los que el campo ni entra ni se contempla en su día a día, cómo no van a obviar a sus habitantes.

Vivimos en un país centralista. Madrid manda. Las grandes ciudades son las que toman decisiones. Las que marcan las pautas, los ritmos. A veces parece que la vida y lo importante sólo sucede en estos núcleos. El resto está siempre en un segundo plano, sin importancia, como si necesitara poco. Como si sus habitantes no tuvieran nada que decir.

Y si el medio rural es el gran olvidado, ¿qué pasa con las mujeres que lo habitan? ¿A qué plano pasan? ¿Cómo se las tiene en cuenta si en el lugar en que viven no se las contempla ni se las tiene en cuenta?

La respuesta es que las mujeres del medio rural

son doblemente discriminadas. Doblemente obviadas. Doblemente olvidadas. Primero por su género, pero también por el lugar en el que residen y trabajan.

Hemos interiorizado ese desconocimiento hacia nuestros márgenes, hacia las manos que lo cuidan y hacia todos esos alimentos que producen. Nos han injertado ese vacío entre el medio rural y las ciudades. Lo vemos como algo normal. No preguntamos, no cuestionamos, no contamos. No queremos saber.

Es cierto que, en los últimos tiempos, el consumidor ha empezado a pensárselo dos veces antes de decidir qué echa en su carrito de la compra. Nos hipnotiza lo *eco* y lo *bio*, si bien la mayoría de las veces no damos la vuelta al alimento para leer su etiqueta.

¿Nos preguntamos acaso de dónde procede ese alimento?

¿Se ha producido en nuestro país?

Si no es así, ¿nos cuestionamos cuántos kilómetros ha viajado hasta esa estantería del supermercado?

¿Y los sistemas de producción?

¿Sabemos diferenciar si un alimento viene de un sistema industrial? ¿Si esa carne o esa leche o ese queso provienen de ganadería extensiva o de ganadería intensiva?

¿De qué animales proviene nuestra comida? ¿Razas autóctonas? ¿Razas en peligro de extinción?

¿Y la tierra?

¿Monocultivo? ¿Policultivo?

¿Agricultura industrial o familiar?

¿Qué semillas se han usado? ¿Qué sistemas?

¿Y la mano que cuida?

¿Nos preguntamos por la persona que hace posible nuestra comida? ¿Por su historia?

¿Por sus condiciones laborales?

¿Nos paramos a pensar todo lo que supone tener ese alimento al alcance de la mano?

Esto es lo que sucede con nuestra comida. Vivimos en ciudades en las que prácticamente no se produce nada de lo que consumimos en ellas. Necesitamos que otros trabajen, cultiven, críen, que, a fin de cuentas, produzcan para que nosotros podamos alimentarnos.

Es cierto.

Cogemos la comida de las baldas y la tiramos sin más al carrito de la compra. Como si lo que acaban de soltar nuestras manos se hubiera formado allí mismo, en el supermercado, como si viniera de la nada, sin un recorrido ni una historia detrás.

Vivimos a costa de nuestros márgenes. Son invisibles. No tienen voz para las ciudades. No existen por sí solos como tales. Creemos y damos por hecho que lo grande y lo nuevo sucede en la urbe.

Perdonadme si insisto:

El medio rural y las mujeres que lo habitan son las grandes desconocidas del territorio.

Y no es porque no tengan voz ni nada que contar. La tienen, como todas. Lo que pasa es que no ocupan las grandes plataformas ni los altavoces que, casualmente, siempre se encuentran en los mismos sitios, en las grandes ciudades.

No hay un solo tipo de mujer rural. El medio rural es diverso y no tiene una única cara y voz. El medio rural es multitud. Tenemos muchas historias que rescatar y sacar de la sombra.

Cada día lo tengo más claro. Juntas, mejor.

En un mundo en el que cada día manda más lo individual y la inmediatez, volver la vista a nuestros márgenes es un ejercicio necesario y fundamental. Es curioso que, en nuestras ciudades, cada día surgen y crecen más colectivos que buscan como fin la comunidad. Que se caracterizan por la sororidad, la creación de vínculos con las personas que forman el grupo, que buscan, a fin de cuentas, un intercambio de saberes o de ayudas. A fin de cuentas, un tipo de cuidados. También en las ciudades crece cada vez más la inquietud por querer hacerlas sostenibles y verdes. Nos preocupa la contaminación, el cambio climático, lo que comemos. Nos da miedo y nos duele la soledad. No queremos ciudades frías, queremos comunidades.

¿Por qué olvidamos la raíz?
¿Por qué olvidamos de dónde venimos?
¿Por qué no mirar a nuestros pueblos?

Hace unos meses leí que había nacido en Madrid una iniciativa llamada «La escalera». Invita a conocer a los vecinos del edificio donde vives usando pegatinas en los buzones. Sentí como una especie de ternura y gracia. Empecé a reír. No paraba de imaginar las pegatinas, los vecinos leyéndolas, comenzando a saludarse entre ellos tras haber metido un trocito de papel en el buzón. «Ahora sí puedo llamar a la vecina del segundo para ver cómo está. Ahora alguien podrá recoger mis cartas, regar las plantas, estar pendiente de casa cuando me voy fuera o de vacaciones.»

En mi cabeza, seguía imaginando situaciones cotidianas resultado de una pegatina en un buzón. Y seguía riéndome, claro.

Porque pensaba en mis abuelas y en todas las mujeres de los pueblos. En sus casas. Con las puertas abiertas, con los zaguanes siempre encendidos. Unas pendientes de las otras, cuidándose entre ellas. Cruzando sus calles con las ollitas calientes, con cestos llenos de huevos y verduras, con el pan bajo el brazo. Compartiendo. Sin necesidad de buzones ni pegatinas. Sin necesidad de que alguien piense como original e innovador algo que es tan primario y que llevamos tan dentro: el afecto y los cuidados hacia los que nos rodean. El apego y la atención. La comunidad y sus vínculos.

Siempre he pensado que lo radical y lo realmente innovador sucede en nuestros márgenes. En nuestro medio rural. En nuestros pueblos. Lazos nuevos, tejidos que se crean, proyectos rompedores, ideas maravillosas, asociaciones, colectivos... y las que están detrás de todas estas iniciativas, en la mayoría de los casos, son mujeres.

Mujeres unidas reivindicándose y haciendo notar su voz. Ocupando los lugares que les correspondían, llegando poco a poco y, al fin, a los medios. Haciéndose con el espacio que les tocaba y que siempre les había sido arrebatado.


*Mujeres de tierra, viento y ganado.*

Así es como les gusta verse al grupo de ganaderas y pastoras de extensivo Ganaderas en Red. Un grupo de mujeres de diferentes pueblos del territorio que caminan juntas y pelean por lo suyo entre todas. Reivindican su espacio como mujeres en el mundo ganadero, donde siempre ha sido el hombre el visible y el que tomaba la voz. Las mujeres, en la ganadería, siempre han estado ahí, aunque muchos no quieran verlo, prefieran omitirlo. Como las pastoras, mujeres hartas de la idealización de una mujer sola en el campo descansando alegre mientras sus animales pastan. También juntas, de la mano, hablan y se enfrentan con la burocracia que cada día les hace más difícil la tarea y les pone trabas para su forma de trabajo y de producción.

Trabajan juntas y no dejan de alzar la voz por la titularidad compartida. Porque aunque vivimos en tiempos de feminismo y en una sociedad en la que no se para de reivindicar la igualdad, las mujeres de nuestro medio rural siempre han estado ahí, trabajando en el campo, una tarea que se encadenaba, como una extensión, a todas las labores domésticas que ya de por sí realizan. Una injusta asignación del rol productivo que se da siempre de por sí, como tal, en la familia. Ese trabajo de ellas con sus parejas en el campo —escribo «trabajo» y no «ayuda» porque estoy cansada de perpetuar esta desigualdad— nunca ha sido valorado como tal y siempre han aparecido, reducidas, como si no significaran nada, a la categoría de «ayuda familiar». Lo que supone una realidad en el mundo rural llena de desigualdad y, por supuesto, donde la mujer es invisible. Al ser el hombre el único titular, es también el único rostro y voz de cara a la sociedad. Al no existir una titularidad compartida de la tierra, las mujeres siguen sin existir, en un medio lleno de consecuencias nefastas para ellas, y para la sociedad en la que vivimos, perpetuando los valores y sistemas patriarcales y facilitando que el medio rural siga siendo completamente masculino.

Pero ellas no sólo hacen visible y ponen sobre la mesa el papel de la mujer en el medio rural como trabajadoras: pastoras y ganaderas extensivas. Van más allá. Hablan sin tapujos de todas las veces que se han quedado solas en casa cuidando a los suyos y a sus animales, esas horas que nunca terminan dedicadas a los cuidados y a las tareas domésticas. Sacan a la luz la autoexigencia y la culpabilidad que sienten con el trabajo que siempre cargan a la espalda. Porque es difícil quitarse esa mochila que se les impone desde pequeñas a las mujeres de nuestro medio rural. Ser mujeres todoterreno, poder con todo, estar siempre atentas y pendientes de todo y con todos. No podemos convertir este sacrificio y esta desigualdad en una virtud. Nuestras mujeres rurales son mujeres como cualquiera y necesitan lo mismo que el resto: acabar con la constante discriminación e invisibilización.

Como mujeres, también luchan por sus pueblos. Conectividad, servicios básicos, educación, sanidad, cultura. ¿En qué momento hemos permitido que nuestros pueblos y sus habitantes no tengan los mismos derechos que los habitantes de las ciudades? ¿Por qué seguimos perpetuando esta discriminación hacia el medio rural y sus habitantes, agravando ya de por sí la desigualdad que sufren sus mujeres?

*No soy la hija de, la hermana de, la mujer de.*

¿Cómo hacer visible el trabajo de las mujeres del medio rural? ¿Cómo romper esa postal plana e inerte donde nos enmarcan para contemplarnos?

Las Ramaderes de Catalunya lo tienen muy claro: no volverán a callarse más. Este grupo de mujeres que se ha unido en Cataluña son un ejemplo a seguir. Su biografía de Twitter es un manifiesto en sí mismo:

«Somos mujeres, somos ganaderas de ganadería extensiva, somos pastoras, somos madres, somos compañeras y estamos unidas».

Puede parecer una tontería, pero las redes sociales son una herramienta perfecta para dar a conocer el verdadero rostro del medio rural y de las que trabajan en él. Yo insisto mucho en ello porque las que trabajamos en el campo podemos hablar y contar cosas de él, podemos tener ese altavoz y esa plataforma que tantas veces se nos ha negado. Y no deja de tener cierta gracia que a muchos les escame que la gente del campo, y sobre todo las mujeres, tengan acceso a estas herramientas y den a conocer su día a día. Recuerdo que un día compartí en Twitter mi jornada de trabajo entre las cabras y un usuario me contestó diciendo que qué poco trabajo tenía y qué poco de campo era si usaba Twitter. Éste es el nivel. Y ésta es lamentablemente la imagen que tenemos de los que trabajan en el campo, personas sin tiempo ni inquietudes para contar cosas acerca de ellas.

La labor de difusión que hace Ramaderes me parece fundamental. Unas fotos de sus manos, reivindicándose, porque éstas, aunque sean pequeñas o finas, aunque sean de mujer, sirven para trabajar, para ordeñar, para arar. No necesitan las manos del hombre. Ellas pueden. También tienen cuenta en Instagram. Suben fotos de sus animales pastando porque la ganadería extensiva y el pastoreo son su signo de identidad. Con lemas como «Sin pastoras no hay revolución», «Pastura es cultura» y «No soy la hija de, la hermana de, la mujer de», dejan muy claro sobre qué va su lucha y su día a día. Entremezclan sus fotografías y sus ideas con citas de literatura escrita por mujeres. Son abiertamente feministas y no tienen miedo de señalarse, saben que sin ellas no habrá medio rural. Están cansadas de ser las que están al mando de sus rebaños y que aún sigan preguntándoles por el marido. Cansadas de que las enmarquen en esa postal de pastora bucólica y bonita, siempre con sombrero de paja, dormida mientras sus ovejas corren alegres alrededor. Están cansadas del maltrato de la administración y de las trabas con las que se encuentran para comercializar sus productos. Cansadas de no figurar, de que no se las tenga en cuenta, de ser un elemento más en el paisaje, sin voz ni voto. En las redes han encontrado la mejor forma de difundir su mensaje y de darse a conocer. Aquí son ellas las que escriben, las que hablan, las que cuidan, las que cuentan.

«En Europa, sólo el 12 por ciento de las tierras está en manos de las mujeres, frente al 61 por ciento que controlan los hombres.»

Es éste el titular con el que chocamos cuando entramos en la página de FADEMUR, la Federación de Asociaciones de Mujeres Rurales de España. Como las Ramaderes de Catalunya, se ayudan de las redes sociales para hacerse oír. Y como ellas mismas escriben en Twitter, no quieren que llueva café en el campo. Quieren igualdad. Ellas andan inmersas en uno de los frentes abiertos más necesarios de cambiar para las mujeres del campo: la PAC, la política agraria común. La política que, a fin de cuentas, tiene más presupuesto e impacto en nuestras vidas, desde que nos levantamos hasta que nos acostamos, en qué desayunamos, comemos y cenamos. La política que se encarga de la tierra y de los que trabajan en ella, pero que no tiene en cuenta a las mujeres rurales. La política que permite explotación laboral ya que sigue siendo un mecanismo que permite precios muy bajos en el origen y grandes beneficios a lo largo de la cadena mediante los subsidios a los grandes propietarios de tierra y productores. La política que expulsa del mercado a los productores pequeños de mayor calidad y que tienen mejor comportamiento ambiental, custodiando el territorio. Esa política que dificulta el acceso a la tierra y que no tiene en cuenta nunca la palabra *mujer*.

Es urgente que la PAC implemente de una vez una perspectiva de género. Urgente y necesario. Como reclama Teresa López, la presidenta de FADEMUR, la PAC sólo tiene de femenino su artículo determinante. Su actividad no sólo es importante para los habitantes del campo, también la necesitan los que viven en las ciudades. De ella depende que se mantengan nuestros ecosistemas y que dejen de vaciarse de una vez nuestros pueblos.

Es obvio que el papel de la mujer en el medio rural es fundamental y que no es posible un territorio sin una política agraria que tenga en cuenta la perspectiva de género. Que la lucha de las mujeres les ha permitido recuperar su espacio y levantar la voz sin miedo. Porque están unidas, porque se reconocen y pelean juntas por sus derechos, caminan hacia la igualdad.

¿Pero qué ocurre con las mujeres que siguen a la sombra?

Nuestros campos están llenos de mujeres migrantes que son víctimas de abusos y de explotación. Las fresas que comemos vienen manchadas de machismo, acoso y desigualdad. Quien se atreva a pasar de la superficie y quiera acercarse a la realidad de nuestro medio rural, se encontrará con mujeres trabajando sin voz ni voto. Que casos como el de las temporeras de Huelva sigan sucediendo es un signo atroz de nuestro tiempo. Y no es algo nuevo en esta tierra. Han tenido que venir dos periodistas alemanas, Pascale Müller y Stefania Prandi, para sacar a la luz en un medio extranjero lo que sucede en nuestros campos. El 30 de abril publicaban la historia de Kalima, una trabajadora de la fresa que huía del hombre que la violaba, su supervisor en el trabajo.

Es sabido, es conocido, pero la gente calla.

El feminismo rural tiene que arroparlas a todas. No sólo a las mujeres que han conseguido hacerse con un trocito de tierra o su propio rebaño. No sólo a las mujeres que defienden la ganadería extensiva y otras formas de producción respetuosas con la tierra y sus animales. No sólo a las mujeres que viven en las ciudades y se sienten identificadas con el ecofeminismo, tejiendo así más lazos entre las mujeres, el feminismo, la naturaleza y la ecología. No sólo a las mujeres que trabajan en el medio rural por sí solas y que pueden hablar y reivindicarse sin ser señaladas. Necesitamos un feminismo rural en el que todas se sientan acompañadas, en el que todas puedan ayudarse, no sentirse inferiores las unas a las otras. Necesitamos un feminismo rural que contemple también a las mujeres que trabajan en estos sistemas intensivos de producción —véanse las fresas o los invernaderos, los mataderos, las cadenas de producción—, que suelen ser mujeres migrantes, sin contratos ni derechos. ¿Quién las respalda a ellas? ¿Quién les tiende la mano? ¿Quién señala a los culpables sin que ellas sean las víctimas?

Debemos pensar en las manos que cuidan y trabajan la tierra. A la hora de consumir, de viajar, de caminar por el campo. Debemos preguntarnos, deconstruirnos una y otra vez. No dar nada por hecho. No quedarnos en la superficie. No pensar en las mujeres del campo como meros elementos.

Hay que ser consciente de que no podemos pretender atajar el problema de la despoblación de nuestro país apuntando una y otra vez a nosotras, las mujeres. Porque no somos vasijas. No somos un elemento reducido a repoblar el territorio. Queremos tener las mismas oportunidades, los mismos derechos. Queremos poder elegir lo que no pudieron escoger ni nuestras abuelas ni nuestras madres. Quedarnos o irnos. Pero contar con esa decisión, tener la elección. Tener un horizonte que se abre al frente y ser nosotras las que contemos y las que decidamos. Tener acceso a servicios y oportunidades, sin tener que dejar el pueblo y marchar a la ciudad. No volver a sentirnos obligadas a nada. No regresar a ese estado tan doloroso de no tener opción, de quedarse una y otra vez en la resignación. Queremos un medio rural feminista, una tierra llena de igualdad y oportunidades para las niñas del futuro, sean o no nuestras hijas.

Pasa el tiempo y cada vez tengo más clara la respuesta a la siguiente pregunta que un día me lancé mientras conducía, después de oír la historia de una de mis ganaderas:

¿Y si el problema de la despoblación comenzó por la falta de atención y la constante discriminación hacia todas las mujeres de nuestros pueblos?

Es tan obvia la respuesta que duele. En nuestras manos, y no sólo en las de las mujeres rurales, está la solución. Y aunque son ellas las que han empezado con sus proyectos a no dejar que se muera el medio rural y sus habitantes, tenemos que involucrarnos todos para que todas cuenten y sean visibles.

Para alcanzar pronto un medio rural sostenible, justo e igualitario.

# CAPÍTULO 4
# LA ESPAÑA VACIADA

Los paisajes pueden ser engañosos.

A veces da la impresión de que no fueran el escenario en el que transcurre la vida de sus pobladores, sino un telón detrás del cual tienen lugar sus afanes, sus logros y los accidentes que sufren.

Para quienes están detrás del telón, junto a los pobladores, los referentes del paisaje ya no son sólo geográficos, sino también biográficos y personales.

JOHN BERGER

Es difícil cambiar la forma de mirar cuando algo que se cree conocido está muy enraizado y demasiado interiorizado, metido muy adentro y enquistado. Y cuando el que observa viene de fuera no pisa el mismo suelo ni pertenece al estrato que aquellos a los que mira y sobre los que quiere narrar.

Tenemos tan encorsetado nuestro medio rural que, siempre que se ha escrito sobre él, lo narrado termina convirtiéndose en un monólogo desde la urbe que nunca cuestionamos.

Trabajando juntas para una charla sobre lo rural en el MUSAC, la escritora gallega Luz Pichel me descubrió una película del año 1941 titulada *O carro e o home*. En ella, una voz nos guía sobre el campo gallego y sus habitantes a través de la vida de un carro. En blanco y negro, el narrador nos habla de forma poética, como si fuera un canto de alabanza, sobre el día a día de los campesinos, sus tareas, sus pasos, su vida. Pero el hilo conductor es el carro. Desde que se construye hasta que termina vencido, roto, inútil, colgado en el patio de la casa, a modo de recuerdo.

A primera vista, la película parece estar realizada con muy buena intención. Da a conocer la vida en el campo gallego, sus faenas, sus costumbres, sus habitantes. Parece que rompe la postal del medio rural que tenemos asimilada. Quizá se hizo con un fin divulgativo, como una forma de preservación, como si sus responsables fueran los guardianes de unas semillas que están a punto de desaparecer. Salvaguardar así parte de la historia de un país, parte de las relaciones de un territorio con sus habitantes.

A lo largo de la cinta, los campesinos miran a cámara, sonríen. Vemos a hombres y mujeres fuertes, que trabajan como si estuvieran bailando, sin signo visible de esfuerzo ni de cansancio. Todo parece una fiesta. El trabajo es un juego, algo sin importancia, algo que sucede y que hace a la comunidad feliz. No hay espacio para palabras como *sudor* y *sacrificio*. Los niños se unen al trabajo, como si no hubiera nada raro en ello, como si la decisión de querer congelar esa imagen de niños con mandiles porque son demasiado pobres para llevar pañales no tuviera ningún valor en sí misma.

La voz que narra no pertenece a ninguno de los campesinos que aparecen en la filmación. Habla en gallego, pero cualquiera que lo escuche durante un rato se da cuenta pronto de que el narrador no está hablando en su lengua materna. No es de allí, no pertenece a la tribu.

Y es esta voz forastera la que sigue describiéndolos hasta el final. En ningún momento escuchamos la voz de los campesinos retratados. Se reducen a cuerpos que trabajan la tierra, que pertenecen a un espacio y a un contexto delimitados por el narrador.

No podríamos recuperar la voz de estos campesinos porque nunca se grabó. Sólo nos queda la imagen. La postal grabada de alguien de fuera, construida a partir de unas instrucciones claras acerca de cómo narrar sobre los márgenes. A los campesinos se les quita la voz, se les niega, se los silencia. No son ellos quienes deben contar su historia. Una vez más, se necesita que alguien de fuera venga y los narre, los encierre en un rectángulo y aborde su historia, su propia lengua, su existencia, su misma vida.

Para el resto, para todos aquellos que viven en ciudades, son los que no tienen nada que contar. Su voz queda atrapada en la imagen, congelada, se desvanece y nunca alcanzará los oídos del espectador. Se convierten en mero objeto de contemplación. Se transforman en una pieza más sin importancia para idealizar el medio rural, para convertirlo en ficción.

Por eso es fundamental preguntarnos una y otra vez acerca de nuestro medio rural:

¿Quién es el que cuenta la historia sobre nuestros márgenes?

¿Quiénes son los que escriben sobre nuestro medio rural?

Y a pesar de que siempre sean los mismos los que escriban sobre nosotros, a través de sus trabajos, sean imágenes, libros, artículos o simples comentarios, la luz se sigue colando porque existen los fragmentos, los saltos en el paisaje, las fisuras.

Es a través de estos pequeños rincones donde sigue pasando la luz, donde podemos aprender a encontrar y a leer lo que ya no existe, lo que ya no importa, lo que ya no se cuenta de forma intencionada.

*O carro e o home* es un ejercicio perfecto para entrenar la vista, para rescatar todo aquello que no se ve. Si prestamos un poco más de atención, si dejamos a un lado la voz omnipotente del narrador, nos encontraremos con elementos en los que, aunque siempre estuvieron ahí, no habíamos reparado a primera vista. Trabajos en comunidad, razas autóctonas que hoy no existen o están al borde de la extinción, modos de producción sostenibles como los cultivos familiares y la ganadería extensiva, oficios que ya no se ven, que quedan relegados en la mejor de las suertes a los pequeños museos de algunos pueblos que siempre están cerrados. Lazos entre los habitantes. Grupo. Comunidad. Palabras. Lengua.

A fin de cuentas, cultura.

Pero ¿qué ocurre cuando a un grupo de personas se les inferioriza por pertenecer a una clase social o a un lugar y se les arrebata toda su identidad?

¿Qué sucede cuando a un grupo se le impone un modelo de vida? ¿Cuando se le quita la lengua? ¿Sus lazos? ¿Sus formas de vida?

¿Cómo sentirse orgulloso de las raíces si desde que tienes consciencia te han enseñado que la única opción posible para prosperar es la de marcharse?

¿Cómo reconocerse si el espejo que han puesto enfrente pertenece a otra persona que habla en otra lengua y que tiene unas manos diferentes que las tuyas?

¿Cómo apreciar lo que te rodea y asumirlo como propio si de por sí ya naces con una inferiorización dada, si el propio sistema desprecia tu forma de vida?

Nuestras abuelas lo llevan en la frente. Como tantos mayores de nuestros pueblos. Sentir vergüenza del lugar de donde vienen. Esconder las manos en los bolsillos de sus batas cuando llega visita de fuera. Preferir el silencio a la voz. Trabajar sin descanso para que sus hijos se puedan marchar. Asimilar como normal todo lo que se les arrebató y las convirtió en ciudadanas de segunda. Aceptar que no son ellas las que deciden qué necesitamos. Ver como algo normal que venga siempre alguien de fuera a construir el relato. A decidir qué queremos, qué nos hace falta, qué sentimos. Incluso a tejer nuestras propias aspiraciones.

Nos idealizan, sí. Pero nos inferiorizan. Porque no nos dejan hablar.

Deciden volvernos mudos. Que no suene nuestra voz. Que nuestra boca y nuestras manos se conviertan en elementos inútiles, sin palabras que acompañen a sus propios movimientos. Niegan la luz y el alimento a nuestra propia lengua.

No nos dejan hablar, no nos dejan decidir.

La marca del campesino en la frente. La mancha de ser de pueblo. La asociación dolorosa del medio rural con términos como *paleto*, *ignorante*, *bruto*, *simple*, *cateto*, *porrino*, *inferior*.

La inferiorización está clavada muy dentro.

Un día, al acabar de trabajar con uno de los ganaderos de la asociación para la que trabajo, di una vuelta alrededor de la nave para lavarme las manos en una pila en el corral. Cuando levanté la vista, me encontré enfrente un montón de escombros descansando contra la pared de cal. No pude evitar acercarme. Entre barreños rotos, ladrillos y sacos, vi los restos de un carro. El elemento que vertebraba la vida en el campo en la película y que unía a la persona con el animal y el medio, aquí era un resto de basura más. En ese corral, el carro no terminaba sus días descansando en la pared, después de una vida de soporte y ayuda, no se convierte en un recuerdo, en algo de lo que sentirse orgulloso. Cuando me quise dar cuenta, le estaba preguntando a mi ganadero acerca del carro. Él se rio. No entendía cómo podía sentir esa atracción por algo tan viejo, por algo que siempre conoció así, desde pequeño, los restos de madera sin razón, desarmados, tirados, ridículos, absurdos, sin función. Pensé en las manos que alguna vez tallaron la madera y la ensamblaron. En la voz que llamaría a esa mula que tiraría del carro. Quise saber quién había hecho el carro. ¿Sus abuelos, acaso? Mi ganadero no supo qué responder. Esos trozos de madera eran un elemento más de su lugar de trabajo, como si vinieran impuestos por el medio. Sólo sabía que era muy antiguo, que no le alcanzaba la cabeza para contar los años. Y no tenía a nadie a quien preguntarle. El carro no significaba nada para él porque así lo había asimilado. Y con aquella aceptación de lo inferior, tanto su historia como la de sus antepasados, la genealogía entera de la tierra que pisábamos se borraba de un plumazo. Dejaba de existir y de tener valor. Se evaporaba. Desaparecía.

¿Cómo comenzar a escribir sobre lo nuestro si nos han enseñado a no darle nunca importancia?

¿Cómo resignificar la palabra *cultura* en el medio rural si nunca hemos considerado que el medio rural de por sí lo sea?

¿Cómo aprender a mirar en las fisuras?

Nos toca a nosotras, a nuestra generación, quitar esa marca a los nuestros. Nos toca no avergonzarnos de nuestras raíces ni de nuestras manchas. Nos toca contar. No dejar que nos quiten la voz y que vengan otros una vez más a contarnos. Nos toca señalar, hacer ver, cambiar la luz de la postal para que el espectador no se quede en lo de siempre, para que el que observa no nos ficcionalice de nuevo.

Vivimos en unos días en los que el medio rural está siempre presente en medios y redes. No hay suplemento o revista que no dedique entre sus contenidos un espacio habitual al campo y a sus habitantes. Hablan de despoblación, de abandono de pueblos y mayores que mueren solos. Los libros de temática rural nos hablan de voces que se apagan. Y siempre tiene que ser un narrador que llega desde la ciudad el que cuente su historia, el que plasme sus vidas en el papel para que no desaparezca en vano. Llega el verano y, con el calor, las columnas de los periódicos se llenan de nostalgia por la infancia en nuestros pueblos, por los paseos en bicicleta, por las noches en las plazas con los vecinos. Pero también de pueblos como vía de escape, como oasis donde descansar y huir de las ciudades. Como el marco perfecto para desconectar y no saber nada del mundo. Como esa imagen de una cabaña waldeniana en medio de la nada sin conexión ni cobertura como la salida perfecta al mundo que nos ahoga. El medio rural está de moda.

Pero ¿de qué manera?

De nuevo:

¿Quién es el que cuenta la historia?

¿Qué es lo que sale a la luz y qué lo que queda en la sombra?

En la mayoría de los casos nos encontramos con que quienes escriben sobre nuestro medio rural son hombres. Hombres sin vínculo ninguno con el medio, hombres que no trabajan en él. Hombres que viven en las grandes ciudades y que van de paseo el fin de semana al campo para escribir sobre él. Hombres que se desplazan kilómetros y kilómetros para escribir sobre nosotros. Hombres que, aunque no sea su intención, nos están quitando la voz. Nos están dejando no decidir. Nos reducen a lo que ellos quieren contar. Dan por hecho que nosotros no tenemos voz ni espacio ni somos válidos para contar nuestras propias historias.

Señores, no se ofendan. No quiero imponer que sólo escriban sobre el campo los que son del campo. Pero va siendo hora de que comprendan que siempre han sido los mismos los que han escrito sobre nuestro territorio y nuestros pueblos. Que no necesitamos que nos deis voz. Que la tenemos. Que sabemos hablar, escribir, contar. Que tenemos un medio lleno de historias, palabras, vidas, semillas, veredas, animales, árboles, vínculos, personas. Que no queremos una literatura que use palabras para designarnos y que sea ella la que decida cómo llamarnos mientras nosotras aprendemos a no avergonzarnos de nuestras raíces y nuestra tierra. No queremos una narrativa que nos llame *granjeros*. Que nos ponga nombres. No queremos más columnas llenas de nostalgia por pueblos que se mueren. Estamos hartas de habitar en reportajes de domingo. Cansadas de ser reducidas a personajes de *Los santos inocentes*. Dolidas de convertirnos en los ataúdes que sepultáis dentro de ese territorio al que llamáis vacío. Aburridas de que nos enmarquéis sólo en escenas de hambre, dolor y miseria.

Estamos hartas de vernos siempre en la misma postal plana y aburrida porque no somos nada de esto. Porque no se corresponde con nuestro día a día, con nuestra existencia.

No somos la España vacía.

Somos un territorio lleno de vida. De personas, de historias, de oficios, de comunidades.

Somos pastoras, jornaleras, agricultoras, arrieras, aceituneras, ganaderas. Somos la mano que cuida y que ha hecho posible que los lugares que hoy se consideran parques nacionales y naturales de este país lo sean. Por la acción de los pastores con sus rebaños. Por la ganadería extensiva. Por tantos hombres y mujeres que trabajaron en el campo y crearon un vínculo único y tan especial como el de animal, persona y medio. Y los que nos dedicamos a la tierra sólo formamos una parte de la diversidad del medio rural.

El medio rural y sus habitantes no necesitan que ninguna literatura los rescate. Necesitan que se los reconozca al fin, ocupar su espacio y recuperar su voz. Necesitan más que nunca que se afronten de verdad sus problemas y sus necesidades. Nuestros pueblos se mueren y lo que más necesitamos son soluciones de verdad, políticas comunes, medidas de urgencia, concienciación ciudadana. Necesitan los mismos servicios a los que pueden acceder nuestros hermanos que viven en las ciudades. Sobran las historias y la literatura si siempre proceden de los mismos. No necesitan paternalismos ni romanticismos, tampoco titulares que los siga definiendo como el hombre bruto que puebla nuestros campos.

El medio rural quiere una mano que se abra para tenderle ayuda, no para usarlo una vez más como sitio de recreo o de escándalo. Como un bonito oasis que convertir en ficción.

El campo no necesita que las ciudades lo hagan más atractivo. Ya lo es. Necesita reconocimiento y honestidad. Que los que miren aprendan a conocerlo de verdad, sin filtros ni imágenes ya prejuzgadas.

Muchos de nuestras abuelas y nuestros abuelos nunca fueron con la cabeza alta por ser de pueblo. Esperaban que vinieran de afuera para aprender. Ellos siempre los invisibles, los callados, los analfabetos. Dejando siempre que vinieran los otros a construir nuestro relato.

Ahora nos toca a nosotras construir nuestra narrativa. Empezar a dibujar nuestra genealogía. La que nos tiene en cuenta, la que va más allá de la imagen simple y plana. La que abraza nuestros lazos, nuestros animales, nuestros árboles, nuestros caminos. La que sabe de cuidados y otras formas de producción sostenibles. La que quiere aprender nuestras canciones y nuestras lenguas. La que no desprecia ni impone. La que mira, pregunta, cuestiona. Una narrativa que pisa, que se mancha las manos de tierra y no se avergüenza.

Y a pesar de que al fin empezamos a ocupar los espacios que nos correspondían, que señalamos y al fin no callamos, a veces siento que llegamos tarde.

Como en *O carro e o home*, hemos dejado que mueran oficios y palabras por no reconocerlas como algo nuestro. Como nuestro patrimonio, como nuestra cultura. A veces vuelve el miedo, como el que sentí cuando no reconocía la voz de mi abuelo, al oír a la gente del campo usar palabras que me son desconocidas y que en las ciudades no se oyen, ni existen. Muchas ni siquiera aparecen ya en el *Diccionario* de la Real Academia de la Lengua Española.

¿A dónde irá todo ese conocimiento cuando las últimas personas que lo usan y lo conocen mueran?

¿Cómo dejamos morir parte de lo que somos de esta forma? ¿Por qué desde las ciudades ni siquiera consideramos que esto es de todos?

Cultura.

Vuelvo al diccionario. A veces me da miedo entrar y comprobar que han borrado la primera acepción de la palabra, que quieren eliminar hasta el último rastro del origen de la palabra *cultura*.

Primera acepción:

1. f. cultivo.
De la tierra.

Lo que germina.
Lo que crece.
Lo que alimenta.

Lo que hace posible la vida.
Una y otra vez.

De nuevo, la venda para mirar a los márgenes.

Llega el tiempo de manos que no tiemblen para quitarlas.

De manos que señalen al que quiera arrebatarles la voz.

De manos que escriban su propia historia y que olviden la mancha en la frente.

De manos que cuiden su medio rural y todo lo que contiene, como esos perros pastores que vigilan atentos, acompañando desde la distancia, a las ovejas de su rebaño que están a punto de parir y se extravían aposta, alejándose solas, buscando un sitio lejano y tranquilo para traer al mundo a sus corderos y hacer de nuevo posible, una vez más, la vida.

# CAPÍTULO 5
# POR UN MEDIO RURAL VIVO

Toda mi infancia es pueblo. Pastores, campos, cielo, soledad. Sencillez en suma. Yo me sorprendo mucho cuando creen que esas cosas que hay en mis obras son atrevimientos míos, audacias de poeta. No. Son detalles auténticos, que a mucha gente le parecen raros porque es raro también acercarse a la vida con esta actitud tan simple y tan poco practicada: ver y oír... A mí me interesa más la gente que habita el paisaje que el paisaje mismo. Yo puedo estarme contemplando una sierra durante un cuarto de hora, pero enseguida corro a hablar con el pastor o el leñador de esa sierra. Luego, al escribir, recuerdo uno de estos diálogos y surge la expresión popular auténtica. Tengo un gran archivo en los recuerdos de mi niñez; de oír hablar a la gente. Es la memoria poética y a ella me atengo.

FEDERICO GARCÍA LORCA

A veces siento que los habitantes del medio rural y los de las ciudades hablamos en un lenguaje diferente. Que no nos entendemos. Nos oímos, reconocemos el rostro y los gestos, pero no nos escuchamos. Las palabras quedan suspensas en el aire, pero no llegan a germinar en ningún sustrato. Ambos formamos parte de un diálogo, pero no existe entendimiento. Como si el idioma agigantara la distancia entre el campo y la ciudad. Como si el encuentro cara a cara sucediera de cada lado sólo frente a un espejo opaco que nunca devuelve la imagen.

El escritor vasco Bernando Atxaga comienza su libro *Marcas*, en el que escribe sobre los muertos sin nombre y con paradero desconocido en la tragedia de Guernica, con una reflexión preciosa alrededor de unas inscripciones talladas en una roca que se encuentra un museo de Milán. *Il masso di Bormo* no es una piedra cualquiera. Las marcas en la roca tienen siete mil años. No se entienden. No hay lugar a la lectura. No existe la idea de un idioma o de un mensaje. Sólo son marcas. Incisiones en una piedra de alguien que quiso dejar su huella ahí. No sabemos por qué, con qué interés o si significaban algo. Pero lo que no se puede leer ni entender llega igualmente hasta nosotros. Podemos ver ese idioma desconocido, tocarlo, intentar descifrarlo. ¿Y si no importa qué dice? ¿Y si la marca tuviera otro fin más allá de causas o fines?

Atxaga traduce: las incisiones no se entienden pero siguen latiendo. Porque transmiten un mensaje, consiguen traernos miles de años después un mensaje claro y poco rebatible:

*Estuvimos aquí, un día estuvimos vivos aquí.*

La marca en la piedra, como la brecha que señala pero a la vez separa.

Me reconozco en este fragmento de Atxaga. Un medio rural que intenta contar su historia, dar a conocer sus problemas. Un territorio lleno de personas que no quieren irse y que hacen lo posible por no tener que hacerlo. Que agitan los brazos pidiendo auxilio, que señalan las ausencias, que inciden en lo que tenemos que preservar.

Pero la marca está hecha. Y los que están fuera empiezan ahora a reconocerla. Hablan sobre despoblación, falta de recursos y servicios, cambio climático, naturaleza, conservación..., pero no terminan de encontrar la lengua exacta para no quedarse sólo en los conceptos, para ir más allá de titulares que no terminan de contar y de enseñar el verdadero rostro de nuestro medio rural y sus habitantes.

¿Y si necesitamos un nuevo lenguaje para tender puentes entre el campo y la ciudad?

¿Y si entre todos tenemos que volver a aprender a nombrar?

A pesar de mis raíces, de mi trabajo y de mi vínculo tan intenso con el medio rural, yo también me convierto muchas veces en esa forastera que llega a un lugar donde hablan una lengua diferente que no entiende. Es especialmente doloroso cuando te das cuenta de que esto te sucede hasta con tu propia familia.

En algún momento caí en que no entendía muchas de las palabras que usaba mi familia para hablar de su día a día o para comunicarse conmigo, palabras que tantas veces había oído sin prestarles atención. No las conocía. No sabía qué significaban. No formaban parte de mi lengua.

Este despertar se convirtió en una obsesión. Empecé a preguntar y cada palabra desconocida se convertía de pronto en nueva para mí. Me volví otra vez niña. Aprovechaba cada momento para señalar y preguntar. Y no sólo con mis padres, mis tíos y mis abuelos. También la mano que apunta y la voz que cuestiona llegaba a la gente de los pueblos a los que iba a trabajar y los ganaderos y ganaderas con los que paso prácticamente la mayor parte de mis días.

Una parte de mí sigue sintiéndose culpable.

Si yo, que me muevo entre el campo y la ciudad, empezaba a perder la lengua rural, el idioma de los míos, ¿hasta qué punto no ha desaparecido ya para los que viven en las ciudades?

Hice la prueba. Empecé a recoger esas palabras como semillas y las metí en un cuaderno, resguardadas, apretadas contra mí, como se hace cuando se recogen las semillas y se colocan en un papel para secarlas y, una vez preparadas, se guardan en botecitos de cristal en la despensa o en el cuartillo para la próxima siembra. Así fue como las palabras de mi familia comenzaron a viajar del pueblo a la ciudad y a conocer una nueva tierra a la que agarrarse. Cuando estaba entre amigos, en el trabajo o en algún encuentro literario, no podía evitar sacar el cuaderno y lanzar alguna palabra sin revelar el significado. Las arrojaba como el agricultor lanza las semillas a la tierra, esperando que terminaran agarrando, alcanzaran a brotar y dieran sus frutos.

La mayoría de las palabras que traigo a la ciudad son desconocidas, pero despiertan algo que no se puede nombrar, que llevamos dentro y que sigue ahí, latente, esperando la luz adecuada para hacerse notar. Sacan del sueño un interés que consigue que el idioma de mi familia y de tantos siga vivo.

Y rescatan algo más. Las palabras desconocidas despiertan preguntas a los suyos, nuevos nombres, antiguos recuerdos. Rescatan el vínculo y consiguen traer a la superficie un nuevo idioma sobre el que empezar a trabajar. Palabras como *fardela*, el saco o talega de los pastores. Como *galiana*, un camino más pequeño de los trashumantes. Como *cabellano*, ese terreno en la sierra que es llano, con lomas y valles pero suaves. Como *empollo*, la primera hierba que nace en otoño tras las primeras lluvias. Como *jabardillo*, ese conjunto de aves más pequeño que una bandada.

En 2002, la revista *Science* publicó un artículo llamado «Why Conservationists Should Heed Pokémon». Llegué a él mucho después, en septiembre de 2017, porque el escritor inglés Robert Macfarlane lo mencionó en uno de sus artículos en *The Guardian* titulado «Badger or Bulbasaur. Have Children Lost Touch with Nature?».

El artículo me llamó la atención desde el título. ¿Cómo casar la conservación de la naturaleza con algo tan extraño y lejano a ella como son los pokémon? El texto mostraba los resultados de unas pruebas que se habían realizado a niños ingleses de entre cuatro y once años con diferentes tarjetas ilustradas, siempre sin nombre del elemento mostrado. Las tarjetas llevaban diferentes elementos: árboles, insectos, pájaros, animales... y pokémon. Los resultados fueron bastante desalentadores. Reconocían al 80 por ciento de los pokémon. La vida salvaje no alcanzaba el 50 por ciento.

Pero ¿cómo querer aquello que no conocemos?

¿Cómo proteger y conservar lo que nos resulta tan desconocido y lejano?

¿Cuántos sabemos reconocer un alcornoque, un roble, una encina, un olivo, un chopo, una jara o un fresno?

¿Sabemos qué plantas recogemos, las que tantas veces pisamos?

¿Reconocemos los animales que vemos en los márgenes de la carretera? ¿Sabemos nombrarlos?

¿Y los pájaros que se cruzan? ¿Vamos más allá de gorriones, mirlos, estorninos, cigüeñas y golondrinas?

¿Nos preguntamos por ellos?

¿Y si están en peligro de extinción?

¿Y si es la última vez que los vemos?

Queremos un campo vivo y verde, pero ¿sabemos reconocer a sus pastores? ¿Conocemos nuestros árboles? ¿Sabemos nombrar las especies que lo habitan? ¿Conocemos realmente nuestros espacios protegidos y sabemos identificar, por ejemplo, otras formas de producción como la ganadería extensiva? ¿Valoramos a esas manos invisibles que cuidan y los alimentos de valor que producen?

No pretendo reducirlo todo a los nombres. Pero es importante aprender a nombrar y reconocer para conservar y cuidar. Como los niños. Volver a esas ganas, a esas manos siempre señalando, a esa voz que no deja de crecer y sólo quiere aprender nombres y sensaciones nuevas.

¿Por qué no mirarnos más en los niños?

Cada vez que vuelvo al campo, por trabajo o junto a mi familia, vuelvo a sentirme una niña. A la raíz, la cuna, la nana. Cada regreso hace que quiera empaparme más de él. Involucrarme. Crear tejido con los míos. Hacer a los demás partícipes de ello. Que la red se expanda y llegue a más sitios.

El medio rural necesita algo más que un lenguaje para sobrevivir. Pero sólo cuando nos quitemos las máscaras, nos deshagamos de prejuicios y nos sentemos a la misma mesa, de tú a tú, sin complejos, sin paternalismos, sin desprecio ni superioridad, podremos empezar a cambiar las cosas. Cuando nos libremos de lo que se supone que es lo verdadero y empecemos a cuestionarnos, a perder la vergüenza, a preguntarnos. Como hacíamos de niños porque queríamos aprender y nombrar, queríamos formar parte del nuevo mundo que se abría ante nuestros ojos, sentirnos parte de él y del resto. Cuando hablemos el mismo idioma. Así podemos empezar a entendernos.

Estoy cansada de enfrentar el medio rural al urbano. Nos necesitamos mutuamente y de la confrontación no nace nada bueno. Desde ambos mundos debemos nivelar para cerrar una brecha que se ha ido haciendo demasiado grande, demasiado dolorosa.

Todo lo que contiene nuestro territorio, nuestro medio rural, no puede encerrarse en un libro. Sería insensato intentar abarcar todo el campo con papel. Nuestro campo, sus habitantes y sus elementos, son un patrimonio infinito. No quiero que esto sea un manual de instrucciones para que nuestro campo no se muera, para que nuestros pueblos no desaparezcan. No quiero y no puedo y no creo que sea mi cometido. Podría escribir listados, manuales, causas, consecuencias. Podría hablar en profundidad de la despoblación, del abandono de la tierra, de los diferentes modelos de producción, de pastores y animales, de cañadas y veredas, de multitud de historias y semillas que hacen que haya llegado hasta aquí.

Pero ése no es mi cometido.

Yo soy una simple veterinaria de campo que trabaja todos los días en el medio rural. No soy experta en despoblación, no soy socióloga, no soy política, no soy especialista, no soy ganadera, no soy agricultora, no soy pastora, no soy investigadora, no soy.

Nadie por sí solo tiene la solución para nada. Nos necesitamos los unos a los otros para cuestionarnos, para cambiar nuestros modelos de consumo, nuestras formas de mirar, para querer conservar y no abandonar, para arrimar el hombro y no dar la espalda. Entre todos tenemos que tender la mano. Es nuestra tarea hacer posible un futuro sostenible y verde en nuestros pueblos. Es en los márgenes donde se encuentra el cambio, donde hay un mañana, donde otra forma de vida es posible.

Y yo, yo no quiero que ellos queden sólo en mi memoria.

Sólo quiero ser una excusa para abrir la palabra y reconstruir el idioma, la mano que recoge semillas de un lado y las esparce en otro, como esas semillas que se enganchan en el lomo de los animales trashumantes para germinar a miles y miles de kilómetros de su lugar de origen. Que la lengua, como la vida, prosiga y encuentre multitud de formas, caminos, encuentros y palabras para seguir aferrándose, para seguir sobreviviendo, para, a fin de cuentas, seguir existiendo.

Quiero que este libro se convierta en una tierra donde poder asentarnos todos y encontrar el idioma común. Una tierra donde sentirnos hermanos, donde reconocernos y buscar alternativas y soluciones. Sólo entonces podremos rascar más profundo y hablar de despoblación, agroecología, cultura, ganadería extensiva, soberanía alimentaria, territorio.

Quiero que las nuevas palabras germinen sin miedo. Que se propaguen. Que se conviertan en un río lleno de vida que nos devuelva una imagen conocida, cercana, familiar. Una imagen de la que queremos formar parte.

Porque sucede, a través de la palabra, que siento que mi amor y mi vínculo con el medio rural llega más lejos. Cuando dejo atrás lo aprendido en los libros. Sucede y se hace real, cuando dejo que hable mi experiencia. Cuando dejo que mi escritura y mi día a día nazca de lo que he vivido.

De lo que forma parte de mí.

Ésta no es sólo mi patria, ni tampoco exclusiva de los habitantes de nuestros pueblos. Esta patria es de todos.

Y ha sido una patria llena de hombres y mujeres que han estado muriéndose solos, cubiertos de musgo y pájaros, esperando a que alguien los descubriese.

Una tierra que al fin deja de avergonzarse de lo que es, que recupera su sitio y lo nombra, que se hace oír, que comienza a dejar miguitas por los caminos para que los demás miremos al suelo y queramos seguir el rastro.

Sí, una patria llena de gente de la que se asumía que no tenía nombre ni voz. Los de las manos manchadas, los del sudor en la frente, los de los pies en la tierra. Esos de alpargatas y silbidos, con olor a campo, con regusto siempre a tierra mojada.

Todos esos que trabajan la tierra y que a su manera, como aquellos que hace siete mil años tallaron la piedra, dejan su rastro con sus manos y sus faenas. Y por más que la naturaleza haga su trabajo y el olvido y el abandono quieran imponerse, seguirán las marcas, los rastros, las huellas.

Pero todavía podéis reconocernos.
Todavía podéis entendernos.
Todavía seguimos hablando en presente.

Un medio rural vivo que se levanta y os tiende la mano.

Un territorio lleno de personas que sin miedo os dicen:

*Estamos vivos y estamos aquí.*

# SEGUNDA PARTE

# CAPÍTULO 1
## TRES MUJERES

*Cuando fui niña,*
*amé un nombre corroído*
*por el liquen.*

Sylvia Plath


Mientras moría, la madre de la escritora Terry Tempest Williams la agarró de las manos y le dijo que le dejaba todos sus cuadernos. La condición: tenía que prometerle que no los abriría hasta que ella se hubiera ido. Lo cuenta en su libro *When Women Were Birds*. Ella no sabía que su madre escribía ni que guardara todas aquellas palabras en papel. La sorpresa la inundó en medio del dolor. De repente, se había revelado algo que permanecía a la sombra, que le era desconocido y extraño. La posibilidad de que su madre también escribiera con voz propia, fuera de ella, aparte, existiendo por sí misma, por sí sola. Pero llega la muerte de la madre y Terry tiene con ella sus tres cajas de cuadernos. Decide abrirlos, leerlos, cuidarlos y la sorpresa es todavía mayor cuando descubre que los cuadernos están totalmente vacíos. No hay ninguna palabra, ningún trazo, ninguna mancha. No hay nada.

Esta ausencia es la que lleva a Terry a escribir su libro. A rebuscar entre las raíces de las mujeres de su familia. A preguntarse una y otra vez qué significa tener una voz. Para ella, abrir uno detrás de otro todos los cuadernos heredados y descubrir que estaban vacíos fue como enterrar por segunda vez a su madre. Una segunda muerte, un duelo repetido y abierto que se extendía por las hojas en blanco. ¿Puede doler un color? La ausencia, el vacío, la soledad, la intemperie, la nieve, el llanto. Todo concentrado en un blanco insolente.

*My mother's journals are paper tombstones.*

Y de la nada comienzan las preguntas, los pasos inversos, las búsquedas. El camino de vuelta a la madre que ya no está. Terry se pregunta por la vida anterior de su madre y se da cuenta de que no sabe nada. Sólo aparece una narrativa que se repite una y otra vez en todas las mujeres de su familia. Las historias comienzan a existir cuando ellas se convierten en madres. Es sólo cuando aparecen sus hijos que se hacen visibles. Nunca por sí solas, siempre con ellos, detrás de y junto a. No existen por sí mismas, no tienen importancia, como si no fuera necesario hablar o hacer antes de convertirse en madres. Como si la vida y la voz se les brindara una vez que tienen hijos. Cuadernos de papel vacíos, en blanco, para que los hijos escriban y tengan su vida y su voz propias mientras, poco a poco, el liquen comienza sobre las superficies a hacer su trabajo. A borrar de una vez lo que no se contó ni se llegó a escribir.

El liquen no ha hecho aún su trabajo porque todavía no he olvidado sus nombres. Los tengo escritos, guardados siempre cerca de mí. Pero que aún sepa nombrarlas no significa que estén inmunes a la corrosión y al olvido. Dos de las tres mujeres siguen aquí pero no he sido realmente consciente de ellas hasta hace muy poco. De nuevo, la necesidad de la genealogía, de aprender a mirar, de descansar en esa umbría que creemos invisible y sola. No quiero que pase con ellas como con el resto de las mujeres de mi familia. Muchas no sé cómo se llaman, dónde nacieron, a qué se dedicaron, cómo eran. Mientras, las ramas del árbol de los hombres de la casa están mejor trazadas, más definidas, menos susceptibles al musgo que humedece y termina haciendo desaparecer. He de reconocer que esto es un ejercicio conmigo misma. Un camino inverso hacia las raíces. Tres mujeres que pisaron antes y allanaron el sendero que hoy estoy andando yo.

Uso mucho el término *la primera hija* para hablar de mí, de mi situación como tercera generación de veterinarios siendo yo la primera mujer de la familia que se dedica a la profesión. Pero es cierto que fui la primera hija, la primera nieta, la primera sobrina. Y hasta hace poco no me he dado cuenta de que hablando en primera persona, siempre de mí y de mis circunstancias, dejaba atrás a todas las demás mujeres de mi familia. Hace poco, una amiga me contó algo que le había pasado con una de sus hijas. Estaba leyéndole una historia a la más pequeña para atraer al sueño, cuando la niña empezó a preguntarle sin parar sobre su madre. Luego, sobre la madre de su madre, buscando a las madres de las madres, sin parar. De repente, la hija calla, como si tomara impulso en la respiración, y pregunta: «Mamá, ¿y la primera madre? ¿Quién es la primera madre de todas?».


Me obsesionan las historias acerca de los vínculos. Desde pequeña, no puedo evitar acercarme a las relaciones entre los animales y sus pastores, entre éstos y los perros carea que guardan el rebaño, entre los árboles y la tierra donde crecen, entre los pájaros y la elección del lugar para construir el nido y criar. Lo mismo me ocurre con las semillas y sus múltiples mecanismos de defensa y supervivencia.

Le damos mucha importancia a la lengua. Pienso en la primera palabra, en la que aprendimos y que salió de la boca primeriza, temblando, con nuestra propia voz, como esas madres mamíferas que caminan nerviosas, entre el instinto y la duda, haciendo círculos y mirando a todos lados, antes de acostarse y echarse en la tierra, antes de que venga el olor dulzón a placenta y a calostro, antes de que giren la cabeza y reconozcan por el olor a esa primera cría que no deja de buscarla, dando tropezones, sin todavía tener el tiempo suficiente para abrir la boca y acogerse en el lenguaje. La palabra *mamá*.

Pero no sólo la voz o el lenguaje nos ayudan a levantarnos y a continuar. Quizá hay que irse a un aspecto más terrenal, más corpóreo, más instintivo. Que tiene que ver con de dónde venimos, de dónde nacemos. Porque no es fácil encontrar una narración, un cuento o una historia, una mitología incluso, donde los protagonistas y los dioses nazcan del excremento, del fluido como la sangre o los líquidos maternales que se forman en la placenta. De lo que erróneamente consideramos sucio. Esta imagen que no nombramos, que no contamos, que pertenece a un tiempo borroso que no encaja en nuestros recuerdos de niñez y primeras palabras, está ligada irremediablemente a la mujer. La primera palabra siempre aparece limpia, decidida, con fuerza, pero nunca «manchada» de amnios ni cuerpo. Aparece sin más, sin genealogía ni manchas, sin sangre, sin leche.

Pienso mucho en la primera mano que sostuvo la mía. En esa geografía mamífera y caliente, invisible, de cuidados y apego, que siempre ha estado ahí pero que ha pasado en silencio, llevando demasiadas cosas a cuestas, tendiéndose hacia los demás, sin mirar por ella misma. Esa mano que me ayudó a crecer sin miedo a caerse ni mancharse, a pesar del tiempo que he pasado sin verla ni reconocerla.

Alrededor de los vínculos hay una imagen común en mi infancia y que sucede en mi trabajo muchas veces, sin más. Es el rechazo de una madre a una cría que sabe que no es suya. La aparta, le da cabezazos, la ignora. Le da igual que no coma, ella no va a dejar que se acerque a sus ubres. Hace como si esa pequeña cría no existiera y no importara. No hay adopción ni lástima por la huérfana. La madre no reconoce el olor que surge en la conmoción del parto cuando la cría aparece y se forma el lazo entre la madre y ella. Ese nuevo habitante del rebaño no es reconocido, no puede formar parte. No hay opción para el lenguaje. Todo reconocimiento o pertenencia se reduce al olor, al instinto. Puede que también a la intuición. Es algo que no podemos saber con certeza. Por eso los pastores despellejan a los corderos que mueren nada más nacer. Y atan la piel del que no está a los huérfanos. Como si fuera un manto, un envoltorio, una oportunidad más de la vida. La supervivencia del huérfano depende del nuevo olor que lo abraza ahora. Si la madre lo reconoce como algo suyo, acepta y cría al pequeño como si fuera su hijo de verdad. Así es como el vínculo nace y persiste.

No sé si mi madre me dejará cuadernos a su muerte, pero no quiero esperar a que se vaya para averiguarlo. Tampoco quiero que pase con mi abuela Carmen. No quiero que ellas desaparezcan para comenzar a hacerme preguntas. Mi tatarabuela Josefa ha comenzado a existir este año por una historia que me contó mi padre durante un paseo por el campo mientras hablábamos de alcornoques. Ellas son las tres mujeres. Tres historias que han existido fuera de mí y por sí solas pero a las que hasta hace poco no he querido mirar. Fuera de mí y sin mí existen. No me necesitan para ello. Es un error en el que caemos continuamente los hijos, creernos los protagonistas, las voces cantantes, los únicos con derecho a que todo gire a nuestro alrededor.

*Unas ya no están y otras están lejos.*

No quiero que estos versos de Anna Ajmátova, esos a los que me tomo la libertad de cambiarles el género como una pequeña revancha contra el sistema, se conviertan en una máxima en mi vida, en una verdad a la que llegué tarde y no pude cambiar. No quiero tener que ampararme sólo en la vida de otras mujeres, como el huérfano con la piel del recién nacido muerto, para sentirme reconocida y respaldada. No quiero hojas en blanco, tampoco preguntas que nunca podrán responderse. Yo quiero ser ese manto, ese cobijo para ellas. No sé si será un alivio o si valdrá para algo, pero hay algo en mí, primario, como el olor que necesitan las madres para reconocer a sus corderos, que me lo pide sin cesar. De ahí la escritura.

Mi tatarabuela paterna, mi abuela materna y mi madre. No están todas las mujeres de mi familia, pero son ellas las que todavía están y las que siento más cerca. Las que llevo siempre conmigo. Y sirva este ensayo como un ejercicio de justicia con la memoria y el reconocimiento hacia ellas. Como una forma de no sentirme culpable, de redimirme por todos estos años en los que ellas no formaron parte de mi narrativa ni del espejo en el que quería verme reflejada. Aquí no cuenta la primera hija, aquí narran las manos, las voces, los cuidados. Yo sólo soy con ellas, que mi escritura sea al menos un refugio. Porque no sé si seré madre, o si llenaré cajones y cajones de cuadernos en blanco. Sí sé que ahora toca mirar de otra forma, volver a aprender, cambiar el paso y el lenguaje.

*¿Sobrevivir escribiendo será una manera ciega de ser útil a la especie?*

Esta pregunta que escribió Maria Gabriela Llansol en uno de sus diarios lleva muchos años acosándome. He de reconocer que la he hecho muy mía. Quizá porque era también una forma de justificarme, de darle sentido a mi escritura. Hoy, después de todo, le encuentro al fin el sentido. Puede que hoy sepa la respuesta.

Amigas, hermanas, compañeras, sí. Creo que sí. Creo que todavía estamos a tiempo.

# CAPÍTULO 2
## TATARABUELA: ALCORNOQUE

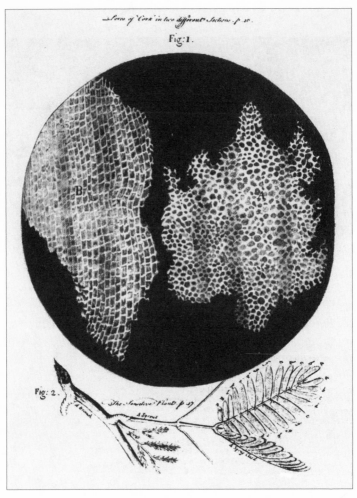

Células en el corcho. Ilustración del libro *Micrographia*,
de Robert Hooke (1665).

En 1665, el inglés Robert Hooke, uno de los científicos experimentales más importantes de la historia, publicó el libro *Micrographia*: un compendio de 50 observaciones al microscopio y al telescopio con sus correspondientes dibujos. Es en este libro donde aparece por primera vez en la historia la palabra *célula*. Al estudiar al microscopio una lámina de corcho de alcornoque, Hooke descubrió que el material se disponía en el espacio a modo de compartimentos. Esta disposición del corcho le recordó a las celdas, como se llaman también las habitaciones de los monasterios.

La primera célula descrita en la historia recuerda a una habitación. Un espacio delimitado por cuatro paredes. Un lugar a salvo. Un sitio donde refugiarse, dormir y rezar. Una habitación propia, como reivindicaba la escritora Virginia Woolf. Aunque quizá nosotros llevamos el significado de la palabra *celda* hacia otro extremo, a una sensación contraria. Claustrofobia, soledad, encierro. Falta absoluta de libertad.

Como tantas mujeres, yo no tengo habitación propia para escribir. Escribo en la misma mesa en la que trabajo como veterinaria las tardes de oficina, fuera del horario laboral, respondiendo correos, rellenando hojas de cálculo, pasando a limpio notas de campo. Escribo en la misma mesa en la que como. Escribo en la misma mesa en la que mi vida se sucede, un espacio delimitado, plano, sin paredes que lo contengan, pero que se apoya en una pared que se convierte en el único horizonte en el que puedo acurrucarme cuando me siento a escribir. Mi vida se sucede en esta mesa porque es el primer sitio donde pongo todo nada más llegar a casa. Los libros que llegan, el portátil, las llaves, la compra, el bolso de trabajo, la ropa recogida de la azotea, las notas y los cuadernos que se desperdigan por la mesa con apuntes que luego nunca aparecen cuando se los necesita. Siempre que me siento a ella tengo que pararme a recolocar todo lo que descansa sobre la superficie. Todo lo que me estorba para la tarea que quiero hacer. Ésta es mi célula. Así es mi celda particular y propia.

Pero antes de la mesa, antes de las notas, los tachones y la escritura, necesito caminar. Ir al pueblo, volver. Pisar por donde lo hicieron mis antepasados. Necesito ese ejercicio, como si fuera una ceremonia a seguir a rajatabla, una necesidad absoluta. Estos últimos años, he vuelto a hacer lo mismo que me hacía tan feliz de pequeña. Regresar al pueblo siempre que puedo, escaparme al campo de mi familia. Ver a mi tío trabajar con sus animales, la complicidad con sus perros pastores, intentar ayudarlo, empaparme de todo lo que me cuenta y lo que no, de sus gestos y sus tareas, de su entrega con el campo. Detalles que no tienen importancia hasta que suceden y aparecen. También los días se me hacen cortos cuando salgo con mi padre y no deja de contarme historias sobre los que habitaron y trabajaron la tierra. Siempre vuelvo con el cuaderno lleno de nombres de plantas, especies en latín y sus denominaciones familiares, plumas, notas a lápiz de avistamientos y rastros. Canastos llenos de setas, manojos de espárragos, ramitos de orégano, bolsas de tela llenas de endrinas. Ir al campo con él no se reduce a pisar sólo la tierra y a contemplar. Es una incursión completa en la tierra y en todo lo que hay en ella. Porque aprendes a mirar el paisaje de otra forma, comienzas a ver elementos que al principio no aparecen, no tienen cabida en la primera imagen que se forma ante ti. También comienzas a mirar por donde pisas, tienes cuidado al caminar, hay que saber andar por el campo, sin hacer ruido, alterando lo menos posible el camino invisible que sin darte cuenta has empezado a gestar. Te conviertes en una observadora atenta, expectante ante cualquier cambio que pueda producirse delante de ti. El canto de un pájaro que no conoces, el crujir de unas ramitas cerca, un encuentro inesperado con un animal que surge y hace que el tiempo se detenga en ese instante. En el cruce de tus ojos con los suyos, como si la mirada necesitara que el segundero parara para tomar respiración y continuar. Como si la vida de vez en cuando necesitara la pausa para tomar carrerilla y seguir.

El invierno pasado, caminando una tarde cerca de la ribera, mi padre empezó a hablar de alcornoques que se morían sin remedio, que se dejaban caer, como esas personas ancianas que están bien y de repente tienen un bajón y no vuelven a recuperarse. Todo se hace cuesta arriba. Se dejan ir sin más. Y mientras hablaba, seguíamos avanzando. Cerca de un montículo de piedras que quedaban al lado de la veguita aparecían los restos de una antigua casa de pastores como si fueran una señal. Estaba ahí, a unos pasos de la casa fantasma:

Un alcornoque de trescientos años.
Color ceniza.
Roto.
Con las ramas caídas.
Alcanzado por la muerte.

*Quercus suber*
De la familia *Fagaceae*, aquellos que dan de comer.

*Quercus* era el nombre romano para designar a los robles en general y a su madera, y también servía para denominar a los árboles que producen bellota. El origen del vocablo es celta. Significa «árbol hermoso».

Impone ver a un árbol así agonizando, muriéndose, comenzando a desaparecer. Porque aunque el árbol se resquebraje, se vuelva de color gris y se deje arrasar por los hongos y los líquenes, a su alrededor la vida continúa. En el suelo, en el tronco, en las ramas. Los pájaros anidan, los insectos se alimentan, las setas se aprovechan de la materia orgánica. Si alguna rama permanece seguirá siendo sombra, descanso, refugio. El agua se acurrucará en sus recovecos. La vida siempre continúa, a pesar de la muerte.

Tuvimos que tropezar intencionadamente con él para que mi padre hablara. Ese día me confesó que siempre se sienta a descansar en ese árbol. Que le da paz, calma, algo que no puede describir con palabras exactas pero que le hace sentirse bien, algo que necesita para continuar.

Padre e hija se sientan. Una apoya su espalda en el árbol, el otro se queda cerca. Respiran. La hija se levanta, necesita tocar el corcho que nunca más se sacará del árbol. No volverá a separarse del cuerpo, no habrá lugar para la regeneración. La envoltura se convierte en un ataúd para el propio árbol. La hija nota la textura en la palma de la mano, intenta intuir lo que queda dentro, las heridas, lo que nunca se ve a primera vista. El padre calla.

¿Cómo conocer la edad de un árbol?

El padre se levanta, se ayuda de un palo a modo de bastón que también servirá para señalar. Si no se saca bien el corcho, indica, en el cuello del árbol quedan pegadas las sacas, unas superponiéndose a las otras. Restos de corcho adheridos al bornizo.

Bornizo, como el primer hijo que no se desprende, que no se marcha, que prefiere quedarse. Es el corcho virgen, rugoso, viejo, el único que sabe y ha crecido junto al tronco. Como la primera célula. La primera palabra. El primer olor. La corteza original.

La hija asiente. Duda. Prefiere que sea el padre quien le diga la edad. Se deja llevar por el silencio. Le gusta cuando su padre se ríe de ella porque no se ata bien los cordones —«con la edad que tienes y todavía no has aprendido»— y se agacha para atárselos, como cuando era pequeña. Sabe que esos días quedan lejos, que están más cerca esos en los que será ella la que le cuente cosas a su padre, en los que le ate los zapatos a él.

Así puedes saber la edad de un alcornoque. Tocando. Contando una a una las capas de corcho que se quedaron como testigos de las sacas. El corcho se saca cada nueve años. Cuenta. Cuenta y multiplica. Así puedes averiguar la edad. Sin hacerle daño, sin tener que cortar el tronco para llegar a los anillos de crecimiento.

Pero lo que se quita también es una protección para el organismo. Gracias a las planchas de corcho, el árbol se protege del fuego, hay posibilidad de sobrevivir al incendio. Y esa funda, que en este árbol se convierte en ataúd, es la que da en mi tierra formas de vida.

En mi tierra, la saca del corcho es un trabajo exclusivo del hombre. Son ellos los que se suben al árbol, sacan el corcho, llevan los mulos, cargan las planchas, descansan a la sombra y almuerzan a media mañana. No hay lugar para las mujeres aquí, no se plantea, no se habla. El trabajo se hace en verano, con el calor de julio, con la compañía de los que supervisan y los animales que esperan la carga para la pila de las capas del árbol. Es un trabajo delicado, meticuloso. Tiene su ritmo. Las hachas suenan como una canción. El alcornoque parece que se deja hacer, como si se meciera mientras le arrancan las tiras de la piel. El color que se descubre parece que late, que canta.

Un rojo tierra caliente.

Y luego el tiempo hace su labor. Tendrán que pasar nueve años hasta que regresen las manos para volver a por el nuevo hijo que se forma. Nueve veranos hasta la próxima saca.

Pero a veces se hacen heridas que nunca se cierran. Cuando se saca el corcho mal, se hace daño a la corteza. Al herirla se forman una especie de cicatrices en el árbol que hacen que el tronco ya no tenga una forma redonda perfecta. La herida da paso a la irregularidad, a la imperfección, a la rotura. Al nudo.

Y tocando una herida que ya no late de ese alcornoque muerto fue cuando mi padre me dijo la edad. El árbol que suponía una parada en el camino podía tener perfectamente trescientos años.

Desde que publiqué *Cuaderno de campo*, en casa salen a la luz historias y detalles que antes ni se contaban ni tenían importancia.

Un primer libro es como una primera célula.

Mi padre a menudo me da ideas, me cuenta historias que de repente le vienen a la cabeza o que recoge de sus amigos o de sus salidas como veterinario. Aquel día, junto al árbol, apareció por primera vez el nombre de una mujer que no conocía y de la que nunca había oído hablar: mi tatarabuela Josefa.

Lo primero que supe de ella era su amor por los alcornoques y por la tierra. Que mi abuela Teresa se refería a ella como la abuela Pepa. Que era una mujer de carácter, que era ella la que llevaba la casa y tomaba las decisiones. Era el cerebro y corazón de la casa. La aorta principal que sostenía a los demás y los hacía latir.

Porque Pepa, que nació entre 1860 y 1870, no sólo llevaba su casa. Preparaba la comida de todos, de los suyos, de los pastores, de los jornaleros, de los que día a día también trabajaban con ella. Todos eran una familia. Organizaba las tareas, preparaba las matanzas y también se hacía cargo de todas las tareas domésticas. Era quien llevaba las cuentas. Su marido, mi tatarabuelo, fue muy trabajador pero no tenía su cerebro. Él llegó al pueblo descalzo, con una mula, posiblemente desde Extremadura. El primer Rodríguez que llegó a esas calles donde terminaría asentándose. Le decían el «d'avansa» porque nunca, nunca paraba de trabajar. Pero era ella la que mandaba, nada común en un pueblo de sierra y en la época que le tocó nacer. Todos sus hijos, al caer la noche, tenían que pasar a verla, contarle cómo les había ido el día, como quien lee todas las noches un cuento a sus hijos para que se duerman, para que llegue la calma y descansar.

Tenían un campo pequeño. La finquita de los Rodríguez. A base de trabajar, pudieron tener una huertecita, un olivar pequeño, y un trozo de tierra con alcornoques y olivares. Creo recordar que también cruzaba una ribera. No se sabe de la importancia del agua hasta que no se tiene. Y más en el campo.

Ella, la cabeza y el corazón.
Él, las manos.

Antiguamente no se esperaba a la muerte de los padres para acceder a la tierra o las propiedades que ellos tenían. A cierta edad ya no se podía trabajar tanto. La gente pasaba la tierra a sus hijos en vida. Quizá fuera una forma de asegurarse, de aferrarse. De ver cómo la vida sigue haciendo su trabajo.

Mi tatarabuela Josefa le dejó un trocito de tierra a cada hijo. Pero el ritual al caer la noche seguía celebrándose. La madre tenía que saber del trabajo y de las manos de cada hijo para irse a dormir tranquila. Es curioso como las manías y los ritos de familia también se heredan, aunque tomen otras formas, y sepan adaptarse a otras máscaras y acontecimientos. Mi bisabuelo paterno, Juan Sánchez, no podía irse a dormir sin revisar que todas las cabras habían regresado sanas y salvas al corral del campo. Que estaban todas las que se habían marchado por la mañana. Sabía perfectamente, sin asistir a los partos, quién era la madre de cada uno de los cabritos. Esta manía rozaba un poco la obsesión y era tan conocida en el pueblo que en un carnaval le hicieron una canción: «Ya se ha muerto "El Pez", / lo enterraron con su madre, / ya entregó su alma a dios y las cabras a Juan Sánchez». Esta historia la sé porque mi padre dejó constancia de ella en una página. Su tesis doctoral comenzaba con esa cancioncilla, a modo de dedicatoria. De nuevo pienso en esa narrativa invisible, esas manías que se heredan y se suceden: me encontré con ella rebuscando entre sus libros, buscando historias de animales y árboles, fotos y anécdotas de mi familia.

El padre se gira y mira a la hija. Y le dice que no es el mismo árbol, pero que ella podría usarlo para contar una historia, para vertebrar un libro que aún no existe. Y la hija se ríe, porque su padre, aunque no lo sepa, a su modo, también hace literatura.

Mi tatarabuela conocía muy bien todos sus árboles, aunque ya no pudiera ir a verlos como antes.

Porque la edad, además de con sus árboles, con ella también hacía su trabajo. Sabía reconocer perfectamente de qué encina o de qué alcornoque estaban hablando sus hijos. Porque ella seguía allí, con ellos, aunque no los viera ni los tocara. Ésa era su genealogía. Su habitación propia de corteza y ramas.

El padre le cuenta y da lugar a la magia. La hija quiere retener esto en su cabeza. No quiere quitar las manos del tronco. Quiere quedarse ahí, en ese momento que trae desde la umbría el nombre de una mujer y de su historia. De una mujer de su familia, de su sangre. Que posiblemente hiciera el camino que ellos han recorrido. Que tocara los mismos árboles, que descansara en el mismo sitio.

Desde que se apareció la imagen, la hija no puede quitársela de la cabeza. Se ha convertido en una especie de amuleto. Algo que le gusta llevar con ella y que no quiere olvidar por nada del mundo.

Pepa, cuando supo que le quedaban pocos años de vida, ya no podía caminar ni valerse por sí misma, pidió que la llevaran en una especie de butaca a ver al alcornoque más viejo y más bonito que tenía. Quería despedirse de su árbol favorito.

Ese verano le sacaban el corcho. Y Pepa intuía, de alguna manera, que ni ella ni el árbol sobrevivirían para estar ni ver la próxima saca.

Padre e hija deciden continuar. Los pasos esperan. Luego vendrán las huellas, una última mirada al árbol muerto que sigue en pie y que los estará esperando en la próxima visita. Pero, antes de irse, hunden las manos en el suelo, rebuscan entre las hojas que renuevan todos los años los alcornoques pero que nunca dejan al árbol desnudo del todo. Entre el olor y la humedad, recogen bellotas de alcornoque. Amargas bellotas que se comerán los animales cuando no haya otra cosa, cuando no les quede más remedio.

De la hojarasca se guardan las bellotas en los bolsillos.

Cuando se acerque el fin del invierno y se intuya la primavera, volverán a sacarlas.

Las sembrarán lejos del sitio de origen. Irán a verlas de vez en cuando, les pondrán piedrecitas alrededor para que nadie las pise ni les haga daño, para que los que les rodean sean también conscientes de lo que aún no se ve pero está bajo tierra. Para que se paren al pasar, observen, se pregunten.

Cuiden.

Como al alcornoque favorito, como a la primera célula.

# CAPÍTULO 3
## ABUELA: HUERTO

Es un sentimiento extraño. Caminar por las calles de un lugar donde todos te reconocen. Saben de dónde vienes, a qué te dedicas, dónde vives. Quién eres.

En mi pueblo, como en todos, a las personas que no son del lugar y no tienen ningún vínculo con él las llaman «forasteras». Pasean por las calles asomándose a las puertas abiertas, intentando conocer qué hay más allá de los zaguanes, entran a los bares y a las tiendas como con vergüenza, dudando, casi sin querer hacer ruido. Preguntan susurrando por los nombres que no conocen, como si al hablar más alto se señalaran y remarcaran que sólo están de paso, que no pretenden volver. Quieren pasar desapercibidos, pero aquí a los visitantes se los reconoce de inmediato.

Un sentimiento extraño. El que todos te reconozcan pero tú te sientas un poco impostora, como una forastera farsante. Siempre digo «mi pueblo» pero no nací allí. Ese lugar al que pertenezco irremediablemente: las montañitas que lo cobijan, esa tierra de lomas y veredas de donde viene toda mi familia, a la que yo siempre regreso.

Nací en Córdoba, pero no tengo apego ni vínculo con la ciudad. No me siento cordobesa, como tampoco me siento del pueblo. Parece como si me encontrara en tierra de nadie. Un péndulo de un reloj de pared que va y viene pero no se para. No elige, no permanece. El lazo es diferente, no me importaría irme de esta ciudad y no volver. Con mi pueblo tengo una necesidad innata, intrínseca, inexplicable. Y no sólo con sus calles, sino con la comarca entera a la que pertenece. Los campos que lo rodean, los arroyos, los árboles, los rebaños que se dejan sentir al caer la tarde. La vida sucediéndose una y otra vez sin la necesidad de que nadie la observe ni la señale.

En el pueblo, todos me saludan. Todos me conocen. Me dan los buenos días, se despiden, me dicen «vamos pa' arriba otra vez, ¿no?» cuando adivinan el trayecto que hago por sus calles. A la mayoría no los conozco. Puede que de algunos reconozca sus caras, sus nombres, sus motes. Puedo intuir sus edades, sus vínculos con mi familia. Podría adivinar hacia dónde los conducen sus manos y sus voces. Pero yo sí soy siempre la reconocida. Aunque me haga mayor y deje de jugar en sus calles. Todos saben mi nombre. Todos reconocen mi genealogía. Siempre se paran, saludan, preguntan por mis hermanos y el resto de la familia. Porque yo, aunque no haya nacido allí, pertenezco en cierto modo a ellos y a sus costumbres.

«Mira, ésa es de Carmen la gordita.»

Una de mis palabras favoritas del medio rural es *venero*.

Me quedo con las acepciones primera y tercera del diccionario:

> *de vena*
> 1. m. Manantial de agua.
> 3. m. Origen y principio de donde procede algo.

Me gusta pensarme así. Que soy una de esas moléculas que suben a la superficie en el venero del río Huéznar, en un pueblo cerquita del mío, de donde también vienen parte de mis antepasadas. El principio. El origen. El comienzo.

La primera vez que me senté cerca del manantial y me asomé al cúmulo de agua y a sus burbujas, no pude evitar pensar en las mujeres que me antecedieron, sentadas como yo, en la misma postura, descansando, o quizá sin preguntarse nada, tan sólo mirando cómo nacen los primeros hilillos de agua. Y no sólo me ocurre allí, me pasa en todos los sitios donde hay agua y que tienen alguna relación con mi familia.

Siento obsesión por las orillas. Por lo que arrastra el río y por lo que queda al margen. Piedras, lodo, ramitas. Esos habitantes con los que no puede el agua y abandona en el margen. Y aunque no acompañen al transcurso del agua, se dejan hacer. Son hijos de la erosión que los moldea una y otra vez con la fuerza del agua. No me gusta pensar que este cambio sucede a base de golpes, no. Prefiero imaginar a la fuerza del agua como una madre que mece y arrulla, que va transformando a los hijos mientras ella también, sin darse cuenta, cambia. Y que, a pesar de la humedad y del paso de las estaciones, se siguen reconociendo.

Yo no lo sabía, pero mi abuela Carmen nació y creció en el campo, cerca de un río. Cuando le pregunto por cómo era su vida allí, cómo transcurrió su infancia, se ríe volviéndose niña. No quiere acordarse. A pesar de las manos y de los años, no olvida el trabajo allí y prefiere no recordar.

Se crio en una casita pequeña, con sus padres, abuelos y hermanos. Rodeada de gallinas y pavos al aire libre, sin agua y sin luz, cuidando de los olivos y del huertecito familiar. Desde pequeña, tenía que ir sola todos los días a llevarles la comida a los hombres que trabajaban en el campo, una hora de camino, a pie. Unas ollitas que llevaba en un *ataero*, como ella dice, hiciera frío o calor. A veces, por el camino, metía la mano y comía un poquito sin que nadie se diera cuenta.

Hacían el pan en casa y ella ayudaba a mi bisabuela amasando en la artesa. Cuando me contaron el lugar donde estaba el molino a donde llegaba el trigo, no dudé en ir. Necesitaba hacer el camino de ellos. Imaginarme el peso en el cuerpo. Mojarme los pies, pensar en unas alpargatas. Puse las manos en el hueco donde debería estar la puerta. Di unos golpes al aire, dejé que ellos, fantasmas, pasaran delante de mí, hablaran con el molinero, sin regateo ni trato ninguno, y luego, al marcharse, la mano del padre descansando en el hombro de la hija. Y con el apoyo, el conformarse, sin queja, en un susurro: «El molinero se queda siempre con lo que quiere».

Pienso de nuevo en la extrañeza, en la sensación de pisar una y otra vez una tierra sin saber que en ese suelo hubo en un tiempo un pequeño huerto, un corralito cerca con una cabra para que mi abuela la ordeñara y le diera el biberón a su hermana Lola todos los días, porque mi bisabuela no tenía pecho. Recoger esas piedras desperdigadas sin sentido llenas de musgo donde antes hubo una casa que daba cobijo a una familia entera, apenas con la luz de un candil de aceite. Buscar los árboles frutales que antes hacían de linde, imaginarlos, levantar las manos al aire, como quien recoge el fruto y lo deja en el canasto, realizar un movimiento para recordar, para reconocerse.

La fuente sigue allí. Se ha convertido en hermana del tiempo y de todos los que han ido allí. A veces la pienso como una insolente, es la única que queda en pie. Da cobijo a unas higueras y a un membrillo abandonados a un estado salvaje. También hay lilas. El hermano de mi abuela siempre iba allí y traía un ramito a casa. El agua, de nuevo, como una superviviente, como un reproche para todos los que nos marchamos y no quisimos volver.


Viajo mucho sola. A menudo duermo sola fuera de casa. Como en bares y cafeterías, siempre sola. Y me convierto en esa forastera que interrumpe el transcurso de los días en los pueblos por los que paso por trabajo. La mayoría de estos sitios están llenos de hombres que se giran y me miran. Algunos rompen el silencio y me preguntan acerca de mi trabajo, el porqué de mi visita, si la furgoneta que está en la puerta es mía. Esta última pregunta me hace especial gracia y, siempre que contesto, me miran sorprendidos: no he tenido miedo nunca. Porque no he sido consciente del miedo hasta que mis alumnas de prácticas, que me acompañan algunos días al campo, me han preguntado por el miedo, por pasar tanto tiempo sola en la carretera, en sitios que no conozco, en lugares llenos de hombres.

Hasta hace poco, yo me veía como ellas. Será que me estoy haciendo mayor, porque estos últimos años las veo más pequeñas y no puedo evitar sentir un instinto de protección. No quiero que les hagan daño. Y es algo que no sólo me ocurre con mis alumnas, sino también con mi familia y mis amigos. La vulnerabilidad de los que quiero, un sentimiento nuevo que ha irrumpido en mi casa como quien se sienta a la mesa y espera que le pongan de comer.

No pude evitar preguntarle a mi abuela si sentía miedo cuando vivía en el campo, cuando iba sola un día tras a otro a trabajar, cuando se quedó sola porque sus hijos se fueron y mi abuelo murió. Sola con su huerto y sus gallinas. Cuando sigue sola y no quiere llamar al médico para que vaya a verla. Mi abuela me responde:

«Habiendo comida no tengo miedo de nada».

Sólo una vez vi algo parecido al miedo en su cara. Aunque fue más bien una especie de desconfianza. Un día, asomándome desde la entrada a su cuarto, vi un destello. Era la estampa de la Virgen que tiene en su mesita de noche. Tenía unos hilos dorados. No soy religiosa, pero cuando me quise dar cuenta llevaba a la virgen en las manos, apretada contra el pecho. Medio enfadada, mi abuela me dijo que no la enseñara «mucho por ahí». Que nadie podía saber que la tenía. La estampita tiene más de doscientos años, de cuando el pueblo tan sólo era una pequeña aldea. Mi abuela Carmen no sabe de dónde la sacó su abuela. Pero la guarda desde entonces y es a quien mira antes de dormir.

No quiere sacarla de casa ni enseñarla en la iglesia porque «las beatas se la quitan».


Todos necesitamos algo a lo que aferrarnos. Un sitio al que pertenecer, algo de lo que formar parte. Yo me agarro al huertecito de mi abuela Carmen. Con su cancela verde y sus paredes gruesas de cal. Al girar su calle, se intuye desde arriba. *Cuaderno de campo* nació allí, una mañana en la que ayudaba a mi madre a recoger laurel mientras, en la cerca de enfrente, las ovejas del vecino empezaron a llamar a sus corderos. Recuerdo que sentí la necesidad de mirar al suelo, a la tierra, allí donde siempre hubo patatas, y sumergir las manos y mancharlas, buscando unas raíces que ya no están. El vecino de la casa de al lado empezó a poner fandangos. Uno de esos momentos en que todo parece tener sentido.

Mi abuela no sabe escribir. Fue a la escuela de los analfabetos apenas unos días pero tuvo que dejarla porque tenía que trabajar con su familia en el campo. Trabajaba muchísimo, más que algunos hombres de su familia. Hoy se ríe recordando a su abuelo materno. En el pueblo le llamaban Paciencia, porque se ponía a las siete de la mañana a aparejar la mula y le daban las diez de la mañana y no había terminado.

Ha pasado mucho tiempo de su vida sola. Antes incluso de que muriera su marido. Durante años, mi abuelo José pasaba de ocho a nueve meses trabajando en Suiza. Los meses restantes, volvía al pueblo para trabajar en la aceituna y en la cooperativa. No se llamaban por teléfono. Él mandaba a su familia postales, cartas, fotos. Hay una fotografía suya que es como un pequeño latido. Aparece mi abuelo en su cuarto extranjero, sonriendo a cámara, doblando la vista al objetivo, haciendo la maleta para volver a casa. La imagen es borrosa, pero, a pesar de los años y de la bruma en el papel, dice tanto. Mi abuela y sus hijos pequeños recibían las cartas y eran mi madre o la vecina Rosario quienes escribían las respuestas a mi abuelo.

Mi abuela no sabe escribir pero lleva el huerto ella sola. Recoger las semillas, secarlas, guardarlas en tarritos en la despensa. Hacerlas germinar cuando es el momento exacto. Sabe cuidar unas gallinas, arreglar las aceitunas, hacer conservas, dejar bien colocadas las patatas sobre un cartón en el desván. Sabe preparar un huerto para el frío, encalar las paredes de su casa. Ir a la cooperativa y sus olivos, llevar las cuentas de su casa. Es una mujer fuerte y nunca le ha pesado quedarse sola. Cuando me independicé, me preparó un ajuar de «mujer independiente», con tacitas, teteras, platos y cafeteras. Me regaló un juego de café de mi bisabuela Rosario, para que lo tuviera a la vista en casa, para que me sintiera orgullosa de ellas.

«Yo te preparo y te regalo el ajuar, pero no hace falta que te cases, que tú te apañas muy bien sola.»

Me gusta abrir su cuartillo del patio para tocar el peso, pintado de color azul, un poco desconchado, que descansa en una mesa cubierta con un hule de plástico lleno de rotos. A mi hermano José y a mí nos encantaba jugar con él. Imitar a mi abuela cuando vendía a sus vecinas las verduras del huerto y los huevos. A sus hijos nunca les dejó jugar con él. El peso, que era de su madre Rosario, tiene ahora más de cien años. Sabe de manos y de historias que nunca alcanzaremos a conocer. Ahora el cuartillo está siempre cerrado. Y acompañado de canastos de mimbre y botes de cristal vacíos, el peso está ahí solo, sosteniendo unas patatas pequeñas, una caja de cerillas y un ramito de hinojo atado con un retal de tela para aliñar las aceitunas.

Las manos de mi abuela no saben de libros y cuadernos, pero sí del frío y de la tierra.

Mi abuela Carmen vuelve a reírse cuando le pregunto por qué somos «las gorditas». Carmen la gordita. El segundo nombre, por el que la conocen todos, es heredado de su abuela Dolores. Fue un bebé grande, nació gordita. En tiempos de hambre y escasez, era signo de salud y felicidad. Y de Dolores hasta hoy.

Yo también he heredado el nombre.

Yo también formo parte de esa estirpe de mujeres de tierra, con las manos de maíz a rebosar para dar de comer a sus gallinas, con las manos en las manos de los que atraparon a las liebres, que saben de la cal y de los sitios donde se esconden los furtivos, que se alzan, a pesar de todo, como las rodillas de todas las mujeres, llenas de tierra y piedrecitas de coger y coger aceituna. Ese árbol de mujeres que podría ser un olivo, una higuera, un laurel, un rosal, un patio de macetas, un ramito de hierbabuena y perejil, un li-monero, unas tomateras, un arriate a reventar.

Yo también formo parte de Carmen la gordita, con los muslos generosos, sin la cintura de avispa con la que se casó, con sus manos debajo de las enaguas, buscando el calor de un brasero de picón, mientras sigue picando acelgas y hablando del tiempo y de los enredos del pueblo.

De Carmen la gordita, esa que era la primera en bajar al huerto a regar en verano, sola, mientras el marido estaba trabajando en la construcción en un país lejano y frío, que era inseparable de su cuñada Antonia, como una hermana para ella, que tenía un patio precioso y que no dejaba de pedir hijos de ma-cetas a todas las mujeres del pueblo.

Yo también formo parte de la gordita, una mujer que nunca ha visto el mar y a quien no le inquieta morirse sin verlo. Prefiere recordarse bañándose en la ribera, siempre con la puerta abierta para sus veci-nas, sentadas todas las noches del verano al fresco en el único banco de la calle, sacando todas las sillas que hicieran falta para que todas tuvieran su sitio. Ellas solas con los niños, contemplando las estrellas, cui-dándose las unas a las otras.

Carmen ya no puede andar. Ahora somos mi madre y yo las que bajamos al huerto. Las que imita-mos las ceremonias de sus árboles con sus manos.

Las que subimos contentas a contarle cosas de las verduras. Las que le preparamos un buen ramo de rosas para que la acompañen en el salón. Las que no dejamos de preguntar por las semillas, las recetas, los nombres, las historias, los lugares.

Cada vez que regreso, mi abuela Carmen me espera sentada en la cocina. Dependiendo de la estación, me tiene preparado un plato con higos o granadas. Siempre lo ha hecho, desde que soy pequeña. Esas frutas llevan el olor de mi abuela, su nombre, su origen. Porque las ramas que siguen creciendo en el huerto son hijas de los árboles que plantó su bisabuelo en el campo donde ella creció de pequeña. Y ella, al casarse, se trajo las semillas al huerto del pueblo, para que pudieran así darnos cobijo y alimento a los demás. Como el venero, recordándonos una y otra vez el origen, la raíz, el comienzo. Como las semillas que siempre se guardan, como un rito, como una forma de recordar una y otra vez de dónde venimos y a dónde deberíamos ir.

Puede que yo también quiera reconocerme así:

Pertenecer al clan de las mujeres que llevan una espiga clavada en el pecho. Lejos del mar. Cuidar con las manos llenas de tierra, quitar las malas hierbas. Aliñar las aceitunas, preparar conservas al baño maría.

Dejar el canasto con los huevos y las verduras en el suelo, para cerrar con las dos manos la cancela y pararse, como hacía mi abuela cuando bajaba el huerto. Se paraba y sonreía, como despidiéndose del lugar, respirando como un suspiro, haciendo que la vida se parara mientras yo la miraba subiéndose las medias y agarrando de nuevo el canasto como si nada.

Querer, aferrarse.

Aferrarse una y otra vez a esa genealogía con voz y memoria de despensa llena de tarritos de semillas, de especias y aliños, de pesos y canastos que nunca tuvieron reparo a llenarse para compartir con los suyos.

# CAPÍTULO 4
# MAMÁ: OLIVO

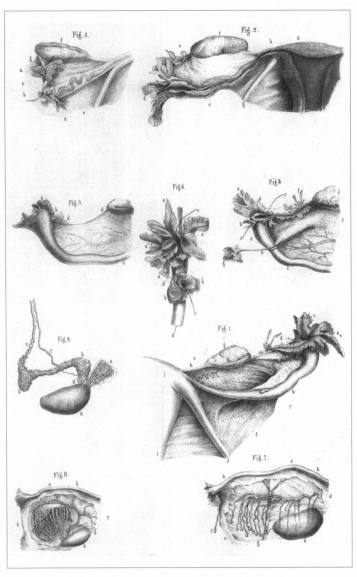

Ilustración de trompas uterinas y ovarios
de la lámina 72 del volumen 5 del *Atlas de anatomía
humana y cirugía*, de Jean-Baptiste Marc Bourgery.

Lo más parecido a escribir que encontré en la facultad fue hacerme alumna interna del departamento de anatomía y neuroanatomía topográfica. Diseccionar, separar músculos, limpiar arterias y venas, aprender a hurgar sin dañar el tejido. Rellenar con colorantes los sistemas circulatorios y linfáticos, tener cuidado para no romper ningún hueso, para no estropear la piel ni el pelo de los animales con los que trabajaba. Las manos siempre mojadas, el olor a formol latiendo en los pulmones y en los dedos.

Aprender a diseccionar y a plastinar se convirtió en mi pequeña y particular habitación propia. Un refugio al que ir entre clase y clase, un lugar donde, aunque estuviera sola, me sentía acompañada. No me sentía juzgada ni bajo la atenta mirada de nadie.

Es difícil ser hija y nieta de. Las expectativas que depositan tus padres, por norma general, son bastantes altas. Estudié veterinaria en la misma ciudad que mi abuelo y que mi padre. El punto de partida ya comenzaba en una pendiente. Mi padre es profesor en la universidad y, aunque nunca fui su alumna, tuve que cargar con eso. Ninguno de los dos queríamos que por nada del mundo nos relacionaran.

Mis compañeros se reían sin maldad cuando me veían en los descansos entre clase y clase sacando libros de poemas y novelas. Algún profesor me dijo que cómo era que tenía tiempo para leer con todo lo que tenía que estudiar. Seguía siendo el bicho raro que siempre me había sentido.

En aquellos años, la relación con mi padre empeoró. Pasé de ser la niña de sus ojos a una adolescente melancólica que nunca estaba a la altura. Pasé de ser la niña que desde los tres años quería ser veterinaria a una chica problemática que se sentía totalmente decepcionada con la carrera. Para mi padre, los poemas que escribía a escondidas entre apuntes y apuntes eran pájaros en la cabeza. Tenía que dedicarme a estudiar, a sacarme la carrera, a centrarme. Todo lo demás era perder el tiempo.

Veterinaria es una carrera de fondo. Requiere disciplina, sacrificio y tiempo, muchísimo tiempo. Me frustraba no poder tenerlo para la literatura y la escritura. Odiaba esa frase tan manida y tan repetida de «yo es que soy de ciencias» que me respondían algunos compañeros de facultad cuando me veían en la biblioteca estudiando, acompañada de novelas y libros de poesía. También es cierto que el sistema educativo se ha encargado de que nos aprendamos de memoria esta cancioncilla.

Por eso la sala de disección se convertía en la calma y la soledad que necesitaba. No escribía pero usaba las manos. Podía probar, intentar, equivocarme, sin que nadie me reprendiera. No decepcionaba a nadie. No perseguía ningún fin concreto. Terminar la preparación, mostrar lo que el que disecciona y prepara el cuerpo quiere que se muestre, convertir al animal en un objeto de contemplación. En un reclamo bonito que no se esconde y al que van todas las miradas.

Aunque no lo parezca, la disección y la escritura comparten muchas cosas. La paciencia es una de ellas. Tanto con las palabras como con el bisturí, a base de probar y equivocarse, terminas encontrando algo que te convence. A veces no tiene nombre, pero intuyes que está ahí, que vas por el camino adecuado. Un latido que suena y se convierte en un impulso para seguir.

Mi profesor de Anatomía me descubrió a Bourgery y sus tratados llenos de ilustraciones. Buscando información sobre él, encontré en una de sus notas una observación del filósofo saboyano Joseph de Maistre:

Toda ciencia comienza con un misterio... Una idea que nos parece clarísima no es más que un resplandor entre dos abismos.

Un misterio, una luz rodeada de oscuridad. Lo que promulgaba Maistre podía extrapolarse totalmente a una mano que comienza a escribir.

Las manos, antes de encontrar la palabra, intuyen, palpan, reconocen. Son ciegas hasta que encuentran esa luz que termina convirtiéndose en escritura. Y en esa búsqueda, encuentran otras manos que dan cobijo y acompañan. Y es durante épocas de más oscuridad cuando otras manos se hacen más necesarias, cuando la luz que desprenden guía más que nunca.

Mi madre ha sido una completa desconocida para mí durante años.

No quería parecerme a ella, no quería terminar como ella. Mi yo adolescente no entendía cómo mi madre se había convertido en una perfecta ama de casa, a la sombra de mi padre, siempre ahí por y para nosotros. Me enfadaba a menudo con ella. Siempre cocinando, limpiando, sin descansar. Me ponía de los nervios porque pensaba que no tenía ninguna inquietud, que todo se lo debía a mi padre, que no aspiraba a nada. Hoy soy consciente de que es injusto y falso pero necesito escribirlo porque entonces lo pensaba así. Y creo que nos ha pasado a muchas hijas con nuestras madres. Por eso el feminismo ha sido tan importante para todas las mujeres de mi generación. Porque se ha convertido en unas manos decididas y nada temblorosas que nos han quitado sin miedo la venda que teníamos en los ojos y nos han enseñado a mirar más allá, a cambiar el punto de vista, a echar abajo los cimientos y las verdades que teníamos como absolutas.

Mi madre ha sido ese resplandor entre la oscuridad. No sólo para mí, sino para mis hermanos y mi padre. Pienso mucho en nosotros de pequeños y en mi madre sola, en una ciudad que no era la suya, sin familia, mientras mi padre trabajaba en Sudamérica durante largas temporadas. Ahora que hablamos de igualdad y conciliación. Ahora que yo me he convertido en una de tantas manos que se alzan y que forman parte de una generación que reivindica. Ahora pienso en ella. En todo lo que hizo por nosotros. Y en lo que no pudo hacer.

Mi madre se llama Carmen, como su madre. Desde pequeña tenía que ayudar a sus padres y abuelos en el olivar. A veces se escapaba a jugar en el arroyo, hacía trastadas y se escondía para no volver a la aceituna. Una vez, mi abuela me contó que mi madre desapareció tanto rato que mi bisabuelo, seguido de la burra, la llamaba llorando entre olivos. Gritaba entre lamentos: «Carmelina, Carmelina, ¿dónde te has metido?».

Lo que más le gustaba a mi madre era coger una espuerta, meterse en ella haciéndose un ovillo y rodar umbría abajo. Nunca le pasaba nada porque mi bisabuelo Sastre llegaba a tiempo para frenar a la niña traviesa y evitar que cayera al agua.

Hay momentos de nuestra vida que suceden sin más pero se quedan ahí para siempre. Mi madre siempre recuerda a su abuelo de puntillas, encima de la mula, para alcanzar las ramas más altas y varear las aceitunas. Ella guiaba al animal mientras mi bisabuelo se convertía en un equilibrista entre olivos. Quizá aprendió el oficio sin saberlo. Ya dejaba entrever esa mano que cobija y guía a los suyos.

Cuando le pregunto a mi madre por sus primeros años, nunca hay una separación clara entre juego y trabajo. «Jugando» ayudaba a coger aceituna, a apilar ramitas para preparar el cisco que luego descansaría en los braseros de picón que calentaría su casa. «Jugando» ayudaba a su madre a recoger la casa, a cocinar y a cuidar el huerto y las gallinas. Me cuenta que sólo tenía una muñeca, con la que jugaba a ser madre, que le lavaba la poca ropa que tenía y a veces le ponía rulos con bolas de papel. Con las amigas cogían cajas de cartón y algunas malas hierbas del campo y piedrecitas y jugaban a las tiendas: una vendía y otra compraba lo necesario para cocinar. Reproducían lo que veían en sus casas, se preparaban, jugando, para lo que les esperaba a la mayoría de ellas el día de mañana. Los Reyes Magos no traían regalos, sino lo que hacía falta de verdad en una casa humilde de un pueblo en los años sesenta: calcetines, abrigos, mantas, algún vestido. Básicamente, ropa.

De esa infancia de juegos que reproducían un sistema desigual para la mujer, mi madre pasó a una adolescencia dedicada al trabajo. Porque fue a ella, al ser *la hija de un hermano único,* a la que le tocó dejar de ir al colegio con catorce años para ir a trabajar a la aceituna. No renunció, no habló, no se quejó. Era lo que había. Todo para su hermano, nada para ella. Mientras él iba al colegio a diario, mi madre tenía que caminar durante una hora hasta el olivar familiar. Su padre salía antes, ella y su madre, sólo una vez habían dejado la casa lista y la comida preparada para llevar al jornal, la cual habían cocinado ellas la noche de antes. Mi madre insiste: tu abuelo preparaba siempre el café con migas y en el olivar era él el que calentaba la ollita en la candela y nos avisaba alzando la voz entre los olivos con «familia, venga, venid a comer».

Un ejercicio que hago ahora es comparar lo que hemos hecho mi madre y yo en nuestras vidas a diferentes edades. Mientras ella era una ama de casa en miniatura y trabajaba en el campo, mi hermano y yo íbamos al colegio sin ninguna preocupación, con una mesa llena de comida esperando nuestra vuelta. Mientras yo podía decidir qué estudiar, a qué dedicarme en un futuro, mi madre seguía de rodillas, cogiendo aceitunas entre el frío y la lluvia, sacando agua del pozo y llevándosela a su familia.

Pienso también en mi padre. En su carrera profesional. Y sé que ni él ni ninguno de sus hijos hubiéramos llegado a nada si no llega a ser por mi madre. No hay nada que celebrar. A ella se le negó una independencia, una educación, una toma de decisiones. La historia de mi madre es la misma de tantas mujeres de este país que dedicaron su vida entera a su familia, poniéndose a ellas mismas en última posición. Nunca enfermaban, nunca se quejaban, nunca había un problema. No eran cualidades ni poderes extraordinarios otorgados por la gracia de dios. Tan sólo les tocó vivir en una época machista en la que la mujer quedaba reducida al espacio doméstico, donde se convertía en madre y compañera. Donde la voz no se hacía notar tan fuerte y las paredes se convertían en lindes de las que no salir. Y, por supuesto, esto no es algo exclusivo de nuestros pueblos, esta desigualdad alcanzó a la mayoría de las mujeres del territorio, mientras que sus hermanos varones fueron los elegidos, los que disfrutaron de la libertad y la educación. Todo para el varón, todas, *hermanas de un hijo único.*

El machismo no sólo alcanzaba a las mujeres como mi madre. Mi padre me habla siempre con mucho cariño de unas tías abuelas suyas, Amelia y Ana, que estudiaron comercio y fueron de las primeras mujeres en trabajar en el Banco de España. Vivían en Sevilla. Y se quedaron solteras. Habían dejado de ser del pueblo pero tampoco encajaban en la ciudad. Eran dos mujeres independientes que, aunque se tenían la una a la otra, se habían quedado solas a la fuerza; eligieron formarse y trabajar. Las habían dejado en tierra de nadie.

Hay un retrato en la casa de mis abuelos maternos que necesito mirar cada vez que vuelvo al pueblo. De pequeña, pensaba que era una foto de mi madre. Hasta que una vez le dije: «Qué guapa sales en esa foto, mamá».

Pero la chica de la foto nunca fue mi madre. Era su prima Candidita. Emigró, como la mayor parte de mi familia materna, a pueblos y periferias de Cataluña. Allí empezarían otras vidas, otros trabajos. De camareras, de caseras, de guardas, de criadas, de señoritas de servicios. Una prima lejana de mi familia fue una de las primeras mujeres taxistas allí. Venían en verano y abrían sus casas, como si nunca se hubieran ido, y seguían su vida en el pueblo como si nada.

Volvían siempre con las maletas y los canastos llenos de morcillas y verduras del pueblo. Allí, las mujeres seguían reproduciendo las costumbres de su lugar de origen. Las canciones, las recetas, las manías. Mandaban cartas hasta que llegó el teléfono. Seguían sacando las sillas al fresco, a las calles, juntándose y cuidándose las unas a las otras, como si su pueblo no fuera un lugar, sino un pequeño animalillo que llevaba cada una dentro y que todos los días pedía que lo cuidaran y lo alimentaran.

Mi tía Cándida era idéntica a mi madre. Tenían la misma edad. Murió de una meningitis con dieciocho años. Volvió del instituto con un dolor de cabeza que nunca se fue y que se la llevó en un hospital lejos de su casa. Yo sólo la conocí a través de su madre que, nada más volver al pueblo, el primer día de verano, vino a ver a mi madre y a tocarle la cara y abrazarla, para estar cerca, en cierta manera, de la hija que perdió.

Mientras su prima Cándida iba al instituto, mi madre entró en el taller de costura. Mi abuela quería que al menos tuviera un oficio. Que sus manos no supieran sólo del frío y de la tierra. Echaba jornadas de doce horas en el taller. Le pagaban poquísimo. Y los días que no iba al taller tenía que seguir ayudando a la familia en la aceituna y en el huerto. Durante el día de descanso ayudaba a mi abuela en las tareas de la casa. Siempre me lo dice: con quince años tenía que lavarse y plancharse su ropa. Después de lavar y planchar la de los demás.

Para mi madre, conocer a mi padre tuvo que ser una especie de liberación. Aunque pasó de la casa del padre a la del marido, dejar el pueblo e instalarse en Córdoba le hizo bien. Podía decidir, no rendir cuentas a tanta gente. Empezar una vida en la que tomar sus pequeñas decisiones y crear un hogar para sus hijos.

Solía enfadarme cuando mi madre decía que no le gustaba el campo, que no tenía ganas de ir al pueblo. Que no se iría a vivir allí. Ahora lo entiendo, ¿cómo le va a gustar si para ella significa trabajo y sacrificio?

Para ella, el campo no es un lugar que contemplar ni en el que descansar. Significa frío, lluvia, heridas en las manos y ningún poder sobre su propia vida. Significa estar a la sombra del padre y del abuelo. Obedecer, servir, dar. Permanecer siempre atenta por los demás. Cuidarlos. No mirar nunca por ella. Convertirse siempre en la última.

La relación de mi madre (y la de tantas mujeres) con el medio rural se convierte en un relato extraterrestre si lo comparamos con la relación de tantos hombres con él. Pienso en Miguel Delibes y en Félix Rodríguez de la Fuente. Qué diferente puede ser el campo dependiendo del género, la familia y las circunstancias en las que te tocó nacer. Mientras unos contemplaban, observaban, cuidaban, cazaban y, a fin de cuentas, disfrutaban del campo, otras trabajaban sin descanso en él y para los demás.

Es obvio por qué no hay mujeres escritoras de la generación de mi madre en este país que escriban desde y en el medio rural. Gracias al feminismo, hemos recuperado y conocemos a las mujeres de la Generación del 27. Sabemos que existieron, que tenían voz y que escribían. Que eran fuertes, independientes y que tenían talento. Con las mujeres de nuestro medio rural no pasa lo mismo. Las mujeres del campo no podían contar sus historias porque la mayoría no sabía escribir. Porque se les negó el placer de la lectura, ir a la escuela, poder decidir a qué dedicarse, en qué formarse. Se les negó la cultura por completo. Ante ellas sólo se extendía el campo en el que trabajar. Sólo una casa con cuatro paredes en la que limpiar, cocinar y cuidar. Hasta ellas piensan que no tienen nada interesante que contar. Que su vida se debe a su casa y a su familia, que ése es su lugar. ¿Dónde encontrar entonces el reconocimiento? Porque, como escribió Berger, «toda cultura actúa en general como un espejo que permite al sujeto reconocerse, o, al menos, reconocer aquellas partes de sí mismo socialmente aceptable. Quienes sufren de carencias culturales tienen menos oportunidades de reconocerse».

Mi abuela y mi madre no quieren escribir. Piensan que sus vidas y sus historias no tienen valor ninguno. Por eso escribo yo. Ellas tienen voz, yo quiero servir de tejedora, de altavoz y plataforma. Quiero que ellas y tantas mujeres del medio rural se reconozcan y recuperen su espacio. Que puedan construir su casa, que puedan dar cobijo a sus historias sin sentir temor ni vergüenza. Sin sentirse menos que nadie.

Este otoño mi madre, mientras estábamos con mi abuela sentadas en el brasero preparando las habichuelas, comenzó a hablar sin venir a cuento del columpio que le había hecho su padre en una encina en la casita del olivar. Sonreía. Yo no dejaba de pensarla niña, balanceándose, tomando impulso, sonriendo.

Esa tarde decidimos ir allí, a ver la encina que mecía a mi madre, a realizar el camino que tantos días recorría a pie hacia el olivar. Reconozco que para mí era una aventura. Mi madre casi nunca me habla de su infancia. La vida de mi madre antes de ser mi madre era un misterio para mí. Salimos del pueblo, caminando durante un buen rato, pisando sobre las huellas de mi madre niña y de tantos antepasados que habían hecho el mismo sendero acompañados de sus animales hasta las ramas llenas de aceitunas. No paraba de contarme cosas que yo desconocía por completo. Como si esa vuelta a la infancia hubiera activado algo en ella, como si esa vereda tantas veces pisada se convirtiera en algo nuevo y desconocido.

Pero tuvimos que darnos la vuelta. Habían cercado parte del camino. Y las cancelas tenían candados. Aunque teníamos derecho a pasar porque era cañada, y por lo tanto camino público, nos dimos la vuelta. Dejamos a la encina y al columpio invisible en nuestra memoria. Como también dejamos atrás las huellas de tantos animales, pastores y jornaleras que seguían ahí, invisibles a pesar del tiempo, como una marca que pesa para todos aquellos que conocíamos esa cañada como un camino de todos. Un sendero que se compartía para los rebaños y las manos que los guiaban. Regresamos, pero parecía que eran los olivos de más de cien años con sus madrigueras y los sonidos y olores del campo los que se marchaban.

Entrando en el pueblo, mi madre se acordó de que necesitaba laurel. Se puso las botas de su madre. Se recogió el pelo. Cogió las llaves de la cancela verde del huerto. Agarró un canasto que sólo llevaba unas tijeras y restos de hojas secas. Yo me quedé sentada, mirándola. Ella cantaba mientras cortaba las ramas. Con cuidado, las iba metiendo en el cesto de mimbre sin que se cayera ninguna hoja. Ese día me contó que había mujeres que sabían leer el futuro con las hojas del laurel. Yo, un poco hipnotizada por el olor cada vez más fuerte, no podía quitar ojo a las flores del árbol. Algunas se caían al coger las ramas. Me recordaban a algo y no sabía a qué.

Ya a la tarde, bajando sola de nuevo al huerto —esta vez era yo la que llevaba las botas de mi abuela puestas y un canasto propio—, me acordé. Las flores me recordaban a ese tratado de ilustraciones anatómicas de Bourgery. Ese libro que me había acompañado en la sala de disección. Sólo que las flores que salían en el atlas eran rosas y no formaban parte de ningún árbol. Las flores que en ese huerto no tenían cabida y que sólo existían en mi cabeza no eran flores. Eran las extremidades laterales de las trompas uterinas. Sus infundíbulos. Una de mis partes favoritas en disección del aparato reproductor de la hembra.

El nido.
El cobijo.
El origen.
La nana.

*Un resplandor entre dos abismos.*

## NOTA SOBRE LA PORTADA

Cuando nace un bebé en el pueblo indígena navajo, los padres cortan el cordón umbilical y lo entierran en el corral de sus ovejas. De esta forma, se crea y se materializa el vínculo del nuevo habitante de la tribu con los animales y con su tierra.

«Fuimos creados con nuestras ovejas», dice una de las canciones que se cantan en las ceremonias navajas. Para ellos, es tan importante la relación del ganado y el pastoreo con su pueblo, que se refleja hasta en el origen y creación de la tribu:

Mujer Cambiante (ser celestial) dio a luz a las ovejas y a las cabras. Con el líquido amniótico de su placenta, que envolvía a los rumiantes, empapó la tierra. Y así, de ella germinaron y brotaron las plantas que darían de comer a sus animales, que luego cuidarían y llevarían por la tierra ellos. Así es el orden para el pueblo navajo.

De ese líquido amniótico y de esa placenta de la primera mujer nacen el pastoreo, la ganadería extensiva y sus pastores. Esa unión tan única y tan importante que es la del territorio, el animal y la persona.

Desde pequeña me han fascinado todas las historias, cuentos, nanas y ceremonias de los pueblos indígenas. Quizá porque la mayoría de ellas están llenas de animales, árboles y territorio. De personas que cuidan el medio en el que viven y lo celebran. De abuelos que cuentan historias a sus nietos para que persista ese vínculo con el animal y el territorio. De padres que siguen creyendo en hacer posible esa unión de sus hijos con la tierra que ellos habitan y que les da de comer.

Yo no me crie en una tribu indígena, pero crecí rodeada de animales. Mi familia me dejó caerme, llenarme las rodillas de barro y heridas. Me enseñó a silbar y a correr tras el rebaño de cabras que teníamos, a aprender a apartar las jaras con las manos, a beber en el arroyo con un cacito de corcho, a ir a las gallinas con una cesta a por los huevos, a recoger verduras en el huerto y frutos de los árboles que plantaba mi abuelo por cada nieto que nacía. A apilar la leña, a vender ramitas de los nuevos injertos que se hacían con retales de tela, a hacer queso fresco por las tardes con la leche que traían la noche anterior todos los cabreros del pueblo.

Mi familia me enseñó a cuidar todo lo que me rodeaba, a ayudar a mis abuelos y a no cansarme nunca de oírlos.

Por eso la fotografía de Joaquim Gomis Sardanyons en la portada. Su hija Odette abraza a una cabrita en la región francesa de Megève, en el 39, durante el exilio de la familia Gomis.

Para mí, éste es el vínculo hermano del cordón umbilical del bebé navajo en la tierra donde descansan los animales que forman parte de la familia. Ese lazo que he tenido desde pequeña con el medio rural y sus habitantes, esa relación tan fuerte que ha hecho posible que siempre esté en mi día a día y que, a fin de cuentas, ha influido tanto en mi vida personal como profesional.

A algunos les podría parecer que esta fotografía idealiza o que se queda en la superficie del medio rural. Se equivocan. Los que queremos y defendemos el medio rural y todo lo que lo habita (semillas, razas autóctonas, árboles, territorio, pueblos, biodiversidad, cultura y patrimonio, a fin de cuentas), lo hacemos por ese vínculo tan fuerte que creó en nosotros desde pequeños. Porque nuestras familias y nuestros pueblos formaron parte, cuidaron, dieron importancia, injertaron ese lazo en nuestra infancia.

Por eso esta fotografía es tan importante para mí. Lo poco que sé con certeza en esta vida es que si no hubiera tenido la infancia que tuve hoy no sería veterinaria de campo ni escritora. Este libro no existiría, no estaría en tus manos.

Y cada día tengo más claro por qué escribo: por ellos. Por esa semilla, como ese cordón umbilical enterrado en la tierra, que sigue brotando en mi día a día.

El vínculo con la tierra y los animales, las raíces, el lugar en la tribu.

También pretendo que la fotografía de Gomis sea una reflexión para todos los que son padres y madres, para los que quieren serlo y para los que no.

Nuestro medio rural morirá si no sabemos transmitir a los que vienen su importancia y su cuidado. Y no sólo nuestro medio rural, sino toda la biodiversidad que vive en él, nuestros pueblos, nuestras costumbres, nuestras historias. Nuestra cultura, así, sin el adjetivo *rural*, porque es cultura y es de todos. Debemos aprender a mirar y transmitir. Preguntar a nuestras abuelas, a nuestras madres. Dar importancia a nuestras historias y a nuestras aldeas. Preguntar, contar, escuchar, cuestionarse una y otra vez. Mirar más allá. Mancharse las manos de tierra. Dejar que los que vienen, los niños y niñas del futuro, se manchen también. Se empapen de tierra y animales, de historias de sus mayores, darles la mano, que quieran visitar y habitar una casa llena de raíces y patrimonio que aún está por construirse.

Crear un vínculo y cuidarlo.

Ésa es la única manera de que nuestro medio rural no desaparezca y siga existiendo.

*Estuvimos aquí, un día estuvimos vivos aquí.*

# ÍNDICE